50년의 기억, 다시 부르는 못다 한 노래

이화연가

梨花戀歌

천이화 부부서한집
千梨花 夫婦書翰集

서문

다시 부르는 못다 한 노래

나는 파도의 하얀 포말이 부서지는 바다가 내려다 보이는 언덕 위 배 과수원집의 7남매 중 셋째 딸로 태어났다. 어버지는 보름달 아래 환하게 웃고 있는 내 얼굴이 마치 우리 과수원의 귀한 배꽃같이 어여쁘다고 '이화梨花' 라고 이름을 지어주셨다.

지상에는 온통 배꽃만 피는 줄 알고 나는 자랐다. 아니, 배꽃만 꽃인 줄 알았다.

1972년 산업도시 울산의 역사를 바꾼 현대중공업이 내 고향 마을에 터전을 마련하기 직전까지 우리집은 그 곳에서 과수원 농사를 짓고 살았다. 남다른 안목과 타고난 성실함을 지녔던 아버지는 전하동에서 과수원과 함께 주전 바닷가에 어장도 함께 운영 하셨기에 우리 가족들은 사시사철 과수원과 어장을 오가며 눈코 뜰 새 없는 나날들을 보내야만 했었다.

그때만 해도 여자가 고등학교까지 다니는 것이 드문 시절이었다. 부지런하신 아버지 덕에 나는 새하얀 카라가 얹힌 교복을 폼나게 입고 학교로 가는 호사를 누렸고 그런 과수원집 딸을 친구들은 무척이나 부러워했었다.

내 고향 전하동은 오자불해변과 미포만 등 푸른 바다와 함께 비경이 펼쳐진 그야말로 한 폭의 그림같은 곳이었다. 학업을 마친 나는 잠시 초등학교와 야학에서 아이들에게 풍금을 치며 노래를 가르친 적이 있었는데 그때 함께했던 참으로 천진하고 고운 아이들의 얼굴이 지금도 눈에 선하다.

내 나이 20살에 이종사촌 오빠(석열)의 소개로 남편(김병석)과 편지를 주고받기 시작하며 50여 년 우리의 인연이 시작되었다. 우리의 편지는 만개한 배꽃의 기다림을 이야기하며 계절에 따라 달라지는 과수원의 풍경 이야기로 서두가 시작됐고 나는 열심히 아름다운 우리 과수원의 변화무쌍함을 편지로 써내려갔다. 남편은 정말 심성이 곱고 성실한 사람이었다. 7남매의 장남이었던 그는 인자했고 그야말로 선비다운 면모를 갖춘 사람이었다. 평생을 살면서 가까운 가족에게 조차 함부로 하대下待를 하는 법이 없었으며 늘 한결같은 마음으로 위하고 아껴주었다.

전라남도 광양에서 중학교를 졸업하고 부산으로 유학(고등학교)을 온 그는 갑작스레 아버님이 병환으로 돌아가시자 집안의 가장이 되어 대학을 포기하고 취업의 길로 나설 수밖에 없었다. 그곳에서 나의 이종사촌 오빠를 만나게 된 것이다. 당시의 우리나라 정서가 지역감정이 만연한 시절이라 전라도 사람이라면 경상도에서 좋지 않은 시선으로 보던 때였기에 직장에서 변변한 친구도 사귀지 못했었고 호남 사투리 때문에 관계 속에서 호감을 얻지 못했던 까닭에 늘 말없이 혼자 지내는 시간들이 많았다고 했다. 해서 자연히 독서와 글을 쓰는 시간들이 많았었던 것 같다.

글쓰기를 좋아했던 그는 학창시절 교내 문예부에서 활동을 했었다고 한다. 연애 시절 그가 보낸 편지와 일기들은 나에게 깊은 감동과 신뢰를 주기에 부족함이 없었고 그가 남기고 간 사랑과 그리움이 깃든 흔적들은 무엇보다 내 삶의 소중한 보물들이 되어 남아 있다. 노래와 기타, 하모니카 연주등 다양한 예술적인 재능도 수준급이었으며 그의 성실하고 반듯한 모습을 옆에서 지켜보던 사촌 석열이 오빠의 눈에 들어 서로 가까워지게 되었던 모양이다.

숱한 편지를 주고 받으며 애정을 키워온 우리는 결혼에 이르렀고 시댁에서 신혼생활을 하며 딸아이 셋을 낳았다. 그 무렵 시댁에서 근근이 꾸려오던 잡화점 경영에 큰 어려움이 닥쳤다. 당시 '새마을운동'이 한참 추진되던 때라 농협에서 운영하는 'Mart'가 생겨나기 시작하는 바람에 운영하던 잡화점의 빚이 눈덩이처럼 늘어났기 때문이다. 어려운 상황에 처한 우리를 지켜보고 계시던 어머니와 큰오빠의 설득으로 우리 다섯 식구는 울산으로 이사를 오게 되었고 성실하게 새로운 터전을 꾸려갔다.

남편은 서른이 넘어 현대중공업에 입사하여 정년퇴직 때까지 가족을 위해 혼신을 다하였다. 우리 가족들은 다행히 큰 어려움 없이 안정된 생활을 이어나갈 수 있었다.

열심히 살았기에 퇴직 후 근교에 예쁜 전원주택을 마련하게 되었고 가족 별장으로 이용하며 유유자적悠悠自適한 날들을 보내며 세상 부러울 것 없이 살았다. 딸 셋은 모두 일찍 결혼을 해 다복한 가정을 이루었고 나는 직장생활을 하는 딸들을 위해 손주들을 돌보는게 주된 일과가 되어있었다. 주말이면 가족과 지인들이 함께 모여 은퇴 후의 여유로운 생활을 함께 즐겼고, 신앙생활도 열심히 하였다.

그러던 중 딸의 권유로 남편이 종합검진을 받게 되었는데 운명의 장난처럼 청천벽력 같은 불치의 병을 선고받고 말았다. 뼈를 도려내는 고통이란 말을 이런 경우에 하는가? 서둘러 서울 아산병원에서 수술을 받았지만 회복이 어렵다는 담당 의사의 절망적인 말을 듣고 내려와야 했다. 서울을 오르내리며 1년 넘는 투병 생활을 하는 동안 우리는 매시간, 무엇과도 바꿀 수 없는 애끓는 심정으로 남편의 회복을 기도했지만 신은 우리의 간절한 바람을 외면하고야 말았다.

모든 것이 영원할 줄 알았던 우리의 인연도 제행무상諸行無常이라는 세상 이치를 피하지 못했다.

남편을 보내고 실타래처럼 얽혀버린 방황의 시간이 어언 15년….

처음 만났던 날을 꼽아보니 50년의 시간을 지나왔다. 주고받은 편지와 일기장을 노후에 책으로 엮어 아이들에게 남기고 싶어 했던 남편의 뜻에 따라 그의 진솔하고 귀한 생각들을 정리하는 글 작업을 시작하며 나는 다시 새하얀 배꽃이 피는 봄을 맞이했다. 수많은 이야기가 묻혀있던 그 과수원은 이제 추억 속으로 사라지고 없지만 아직도 내가슴 속엔 분분히 흩어져 내리던 새하얀 배꽃의 향기와 함께 수많은 그의 아름다운 밀어들이 가슴가득 흩날린다.

2021년 봄

천이화千梨花

천이화 부부서한집 이화연가

1부

배꽃의 미소

2부

그리운 사람에게

3부

석축에 핀 꽃

4부

일기로 전하는 편지
–병석

5부

일기로 전하는 편지 -이화

6부

사랑의 월계관

이화연가

梨花戀歌

1부
배꽃의 미소

한낮의 햇살이 따사롭군요.
패배하지 않고 꺾이지 않고 곧게 설 수 있는 원동력,
그것은 다만 꿈이 있는 까닭일 것입니다.
머지않아 과수원엔 꽃이 피겠지요.
숱하게 많은 배꽃의 향기가 그대 마음에 가득히
배어들기를 원합니다.

배꽃의 미소

화! 제발 환하게 웃어 주십시오.

세상에서 가장 높은 굴뚝을 내 가슴 위에 세우고 싶군요.

그리하여 모든 불만들의 잔해, 자질구레한 반항 나부랭이들의 분출구로, 무한히 넓은 하늘 위로 내뿜을 수만 있다면 그보다 더 멋진 일은 없을 것이라 생각해 봅니다. 마음대로 되지 않는 일들이 너무나 많은 것 같군요.

세상이 좀 더 멋진 곳이라면 얼마나 좋겠습니까.

석이 갖는 욕심이 너무 많은 까닭일 것이라 스스로 책망하며 체념하려 해도 내 작은 가슴속에 차지한 마음의 여백이 좁아서인지, 어쨌든 하나의 분화구는 있어야 할까 봅니다.

얼마 전, 지금 이렇듯 한결 가벼이 배를 깔고 엎드려 펜을 잡을 수 있는 나의 방으로 초라한 이삿짐을 꾸려 왔습니다. 올해 고등학교 입학한 남동생과 간호고등학교를 졸업하고 이곳 일신산부인과에서 트레이닝을 받기로 한 둘째 여동생이 함께 소꿉놀이 같은 생활을 시작했답니다.

어쩌면 조금은 더 생활에 재미를 느낄 수 있을 것도 같은 생각입니다.

화야! 배꽃이 피기에는 아직도 계절이 늦장을 부리고 있나 보군요. 달 밝은 바닷가엔 나갈 수 없다는 그 심정, 어쩌면 환하게 밝은 낮에 등불을 켜 들고 큰길을 걸으며 '왜 세상은 이렇게 캄캄한 어둠뿐인가?' 라고 외치며 통곡하는 사람의 비뚤어진 감정같은 하늘이 온통 부서져 쏟아지고 지구가 송두리째 터지지 않느냐고 부르짖고 싶은 심정, 우리 이런 것들일랑 좀 더 한가한 때 마음의 장식 내지는 사치용으로 아껴두고, 지금은 그저 환히 웃어보지 않으렵니까?

배꽃처럼 환하고 곱게 웃고 있는 당신의 모습이 보고 싶군요.

배꽃이 필 무렵, 그 때쯤이면 꼭 가 보리라 생각하지만 글쎄요.

어떻게 될지, 모든 것이 마음대로 되어 주질 않으니 단언하기엔 아직 무리가 있군요. 어찌된 까닭인지 오늘 밤엔 재미있는 이야기가 떠오르지 않는군요. 멋있는 이야기를 많이 해주고 싶은데 오늘은 내 머리가 약간 멋을 잃은것 같아 이만 줄이겠습니다.

그럼 회답 기다리며 내내 안녕~~

1968. 3. 17 병석

봄마중

안녕하세요?

어제는 아이들을 데리고 들로 나갔어요.

봄 기분을 내고파 할미꽃을 꺾으러 갔었는데 허탕치고 버들강아지만 꺾어 왔습니다.

이런 고운 계절에 맘이 몹시 설레고 곧 멋진 무엇이 전개될 것 같은 희망을 느낍니다. 석에게도 이 기분 전합니다.

보내주신 편지는 단비와 함께 제 손에 쥐어졌습니다.

너무 글이 다정했기에 오히려 미안한 생각이 들더군요.

제가 오히려 석의 마음에 부담을 느끼게 할까 봐 덜컥 겁이 납니다.

석! 혹시 저로 인해 실망을 하시더라도 후회는 하지마세요.

요즘 일이 꽤 고되신가봅니다.

휴식도 취하며 시간을 잘 안배해 나가면 좋겠습니다.

곁에 있는 동생들을 위해서라도 말입니다.

어떤 괴로움이라도 잘 이겨나가세요.

제가 힘이 된다면 기꺼이 그리 하겠습니다.

바다를 동경하신다지만 막상 때가되면 언젠가는 또 서글픈 맘을 안고 떠날 겁니다. 석이 좋아하는 바다를 저는 또, 내일 보러 나가겠습니다.

어저께 동생들이 주일이라고 왔더군요.

같이 바닷가에서 즐기다 왔어요.

석열오빠와 한 번 바다로 나가 보세요.

때 묻은 맘일랑 훌훌 씻어 버리고 오세요. 또 소식 전할게요.

굿나잇!

68. 3. 20 이화

석의 생일

화야! 또 하루가 끝나는 새로운 날의 그 지점에 내가 섰습니다.

바다가 온통 까맣게 수평선을 지우고 있군요.

오늘도 그렇다고 또 내일도 아닌 이런 시간에 당신이 가고 싶은 곳이 있다면 그곳은 어디겠습니까? 석은 어느 곳이냐고 반문하시겠죠?

눈에는 별빛만이, 귀에는 철썩이는 물소리만 들려오는 아주 단조로운 바닷가, 그런 곳에서 온 우주가 쉬고 있는 시간에 나와 바다만이 살아서 호흡하고 싶은, 과한 생각이라고 핀잔주시겠지만 지금은 꼭 그런 곳에서 쉬고 싶은 심정입니다.

더 욕심을 부린다면 시침도 함께 쉬고 별빛을 담은 화야의 눈동자를 들여다 볼 수 있다면 아마 더욱 더 멋진 밤이겠지요.

보내주신 글 잘 받아 읽었습니다.

귀한 시간을 훔친 것 같아 미안하면서도 한편으론 그 시간을 좀 더 빼앗아 보고 싶은 충동이 이는군요.

내일은 일요일, 일을 빨리 끝내고 혼자 해운대에나 나가볼까 합니다.

발아래 부서지는 파도 소리에 대답하며 바다를 마주하고 화야와 이야기하렵니다. 동생들과 함께 화야도 바닷가엘 나간다면 그 바다도 석의 이야기를 들려주리라 믿습니다.

참! 잊어버린 게 있군요. 어제는 석의 생일이었답니다.

가까운 친구들이라도 몇 청해서 생일을 기념할까 했으나, 번잡스러울 것도 같고 소소한 모임으로 빼앗겨야 할 시간이 염려스러워 동생과 함께 조용히 미역국을 끓여 먹었습니다. 고향 집에선 아마 어머님이 새벽같이 일어나 맑은 물을 떠 놓고 객지에 있는 아들의 안위를 빌으셨을 것입니다. 나 하나만을 하늘처럼 믿고 사신다는 홀어머니의 마음을 어떻게 하면 좀 더 즐겁게 해 드릴 수 있을까 하는 것이 생활의 지침이 되고 있습니다.

어머님의 마음을 기쁘게 해 드릴 수 있는 일이라면 무엇이든 다 하리라 다짐해보지만 아직은 아쉬움이 가득합니다. 우리 형제들을 기르고 가르치는데 모든 것을 바쳐 오신 부모님입니다. 작년 10월 아버님을 떠나보내신 후 어머님에 대한 나의 마음이 천근의 무게를 더하게 된 것 같습니다.

환히 웃어 달라고 청하면서 괜한 이야기를 했나봅니다.

어느새 습관처럼 화야의 글을 기다리게 됩니다. 당신의 글을 읽을 때마다 조금씩 석의 마음에 아름다움이 더해감을 느낀답니다.

짙은 봄소식 기다리며 오늘은 이만 줄이렵니다.

다음 편지까지 고운 웃음 환히 웃어주세요.

내내 안녕.

1968. 3. 24 부산에서 석으로부터

화, 부모님의 희망

석! 어저께는 바닷가를 다녀왔어요.

산호와 고동을 많이 구해 왔습니다. 바다를 그리워하는 석에게 선물로 드릴게요.

화야 역시 바다를 좋아하는건 석과 같은 마음이랍니다.

둘이 함께 바다를 찾는 날이 빨리 오면 좋겠습니다.

생일날은 그냥 조용히 지냈다구요? 연락을 주셨으면 고운 선물 한 아름 드렸을 텐데 이제 후회해도 소용없어요.

석의 말대로 조용히 해운대에서 마음껏 시간을 즐기고 오세요. 저도 바닷가에 나가 혼자 백사장을 거닐며 석과의 대화를 느끼고 왔다면 웃으시겠지만 사실이에요.

지난 23일 부산에 다녀왔습니다.

어제 도착했지만 석열이 오빠에게도 가지 않았어요. 틀림없이 석이에게 가자고 할 것 같아서입니다. 미안합니다.

석에게 갈 때는 배꽃을 한아름 안고 갈게요. 그래서 당신이 계시는 그 방을 배꽃으로 환하게 꾸며 드릴게요. 솔직히 말해 석이에게 실망을 줄 것 같아서 다른 일을 미루고 한시라도 빨리 엽서를 띄우고 왔습니다.

등대에 벚꽃이 필 때쯤에는 연락을 드릴테니 오빠와 함께 와 주세요.

봄이 가까워지니 자꾸만 눈물이 나려고 한답니다. 무슨 까닭일까요? 제가 꼭 한마디 부탁하고 싶어요. 진정 어머님의 착한 아드님이 돼 주십사 하고요. 어쩜 그렇게도 저와 비슷한 입장인지요? 저희집에서도 어머니는 물론이고 오빠들까지도 저에게 어떤 특별한 것들을 바라고 계십니다. 화야가 마지막 희망이랍니다. 믿어지지 않으시겠죠? 하지만 저에겐 너무 마음 아픈 일이 있어요. 왜 이렇게 울어야 하고 초라해야 하고 항상 어두운 맘이어야 합니까? 아직 까지는 철없는 소녀처럼 살아가고 싶습니다. 그런 저를 왜 이렇게 만들고 있나 싶습니다.

석! 정말 어떻게 해야 합니까? 멀지 않은 날, 어머님과 오빠, 또 석에게까지 실망을 드릴 것 같은 이 마음을 추스려 보려 합니다. 삶이 다하여 싸늘하게 변하는 체온을 가지기 전까지는 착한 딸, 착한 동생, 또한 순수한 그 누구의 화야가 되리라 다짐합니다.

그럼 이 밤도 아듀…

난필 용서하세요… 1968. 3. 27 이화 드림

아버님을 여의고

봄이 왔습니까?

화! 무엇 때문인지, 소용돌이치는 감정 속에, 폭발 직전에 도달해 있는 마음의 병이 몇 개월마다 주기적으로 석의 생리가 되어가고 있습니다.

그럴 때마다, 석은 알 수 없는 반항 속에 몸부림치며 그 순간을 무마시키기에 모든 가능한 한 탈출의 분화구를 찾아 헤매게 됩니다. 오늘이 바로 그 견디기 어려운 감정의 소용돌이에 휘말린 나는 초라한, 그리고 몹시도 비굴한 대결자가 되어 패전의 수치를 받아야 하는 날이었습니다.

종일토록 그 누구하고도 극히 필요한 사무적인 일 이외에는 의식적으로 대화를 회피했습니다. 근무가 끝나고 몇 잔 막걸리로 패전의 슬픔을 달래야만 했었습니다.

화! 나에게 밝고 예쁜 웃음을 웃어주십시오.

송도의 밤바다는 쓸쓸하고 차가웠습니다. 담배 연기로 호흡을 대신

하는 이 시간 나의 머리맡에는 당신의 고운 글이 펼쳐져 있습니다. 인생은 처음부터 그렇게 살아가게 되어 있는 것 아니냐고 생각한다면 그것은 너무나 서글픈 이야기이겠지요. 하루를 24시간에 맞춰야 한다면 더더욱 슬픈 이야기가 아니겠습니까? 그렇게 오매불망 기다리던 배꽃이 활짝 피고 나면 나는 또 무엇을 기다리며 손가락을 접어 볼까요.

초라한 생일 식탁에서 동생이 "오빠는 어째 생일선물 하나도 받지 못하느냐"고 하던 이야기를 그때는 우물쭈물 귓가로 스쳐 듣는 것처럼 했지만 그것 또한 석의 마음을 한껏 허전하게 하는 말이었습니다.

오늘 밤은 잠을 자서는 안 될 것 같습니다. 이대로 다시 더, 모든 것을 자신까지도 망각할 수 있도록 취해보고 싶군요.

비틀거리다 주저앉으면 마음 속 쌓여가는 먼지를 털어 낼 수 있을까? 암만 생각해도 역시 멋없는 일일 것 같아 그만두어야겠군요. 대신 화야와 이렇게 밤을 새워 이야기나 하면 좋겠습니다.

부산엘 왔다가 그냥 돌아갔다고요? 그럼 분명 금년 봄엔 방어진 바닷가에 배꽃은 피지 않겠군요. 배꽃의 꿈을 흐리기 싫어 배꽃 구경은 그만둘까 봅니다. 배꽃이 피지 않는 방어진 바닷가는 멋이 없겠죠?

거짓말을 이 종이 위에 쓰기 위해서는 정신과 감정의 상태가 너무 착잡합니다. 화! 석에겐 아직 봄이 너무 멀리 있는 것만 같군요. 그래서 그 바닷가가 그토록 싸늘했나 봅니다. 귓가에 기적소리가 머뭅니다. 이웃 방 벽시계가 열두 번을 칩니다. 온 세상에 울 둘만이 이야기를 나누고 있습니다.

화! 졸리지 않습니까? 자리에 들어 눈을 감은 채 귀를 기울여 주십시오. 지루한 이야기가 끝이 나거든 고운 웃음 띠고 잠들어 주십시오. 어두운 밤을 온통 지새우는 것은 석이 혼자만으로도 족합니다. 잠이 오지 않거든 석의 이야기가 끝나는 대로 화야의 이야기도 들려주십시오. 그럼 조용히 귀 기울이겠습니다.

석의 슬픔 중에서 가장 큰 슬픔은 아마도 울지 못하는 슬픔일 것입니다.

오늘 같은 이런 감정, 실컷 울어 버릴 수 있다면 얼마나 가슴이 후련하겠습니까? 아버님을 영결하는 자리에서 석은 울지를 못했습니다. 통곡하는 어머님과 동생들 사이에서 그저 멍할 뿐이었습니다.

더 이상 내 이야기를 계속하면 또 터지려는 감정을 주체할 수 없을 것 같습니다. 이 밤도 석에게 밝은 웃음 웃어주십시오.

1968. 3. 31 부산에서 석으로부터

상면을 꿈꾸며

화! 이렇게 또 한 번의 봄이 석의 곁을 멀리 스쳐 지나가나 봅니다. 내게 주려고 화야가 간직한 그 마스코트를 하루 빨리 받아 보고 싶군요.

환한 웃음을 띠고 석의 손에 화야의 그 델리케이트한 정성이 쥐어질 수 있는 날을 고대하렵니다. 배꽃이 피지 않는 방어진은 멋이 없을 것 같아 가지 않겠다고 했던 지난번 이야기에는 변함이 없습니다. 부산엘 왔다가면서도 석을 찾지 않았다는 그 사실이 방어진의 배꽃을 피지 않게 했다고 석은 생각합니다. 왜 그 이야기에 대해선 한마디의 대답도 주지 않았습니까?

경주에서의 하루가 재미있었다고요? 벚꽃이 피는 날에는 석과 함께 찾고 싶었다는 그 이야기 정말 멋진 이야기였답니다. 꼭 그렇게 해보고 싶군요. 아직까지 경주엘 가보지 못했다고 솔직히 털어놓으려니 어찌 약간 창피한 마음이 드는군요. 하지만 그렇게 솔직히 말을 해야만 경주길 안내를 맡길 수 있지 않겠습니까?

제발 화야의 글을 기다리는데 석의 마음이 지치지 않도록 석을 향해 똑바로 자리 잡아 주십시오. "오빠와 함께 와 주십시오." 하는 식의 초대 말고 좀 더 멋있는 상면의 표현이 있지 않을까요? 그 멋없는 친구 석열이와 소식이 끊어진지 어언 십 여 일이 되는군요.

그 개구신(석열), 지금쯤 어디에서 또 천지창조 신과 맞서고 있는지 한동안 내게서 사라졌다가 한참 후에 불쑥 튀어나오겠다고 고하고 꺼져버렸습니다. 물론 헤어지는 그 자리엔 혀를 자극하는 진로소주가 같이 자리 했었죠. 우린 옛날부터 이런 식으로 만나고 헤어지고 해 왔으니까 아마 둘 중 하나가 죽게 되더라도 이런 식일 겁니다.

화야! 석을 한번 만나보고 싶지 않으십니까? 우리가 만나게 되는 그 첫 순간을 모두 화야의 꾸밈대로 맡겨 보고 싶습니다. 석은 다만 당신의 의견에 따라 그 순간을 기다리고 싶습니다. 시간과 장소는 모두 그대가 편리한 대로, 모든 걸 맡기겠습니다.

화! 멋있고 고운 꿈을 잃지 말아 주십시오. 그 꿈의 보금자리가 농촌이건 도시이건 장소가 중요한 것은 아니리라 생각합니다. 다만 그 꿈이 얼마나 아름답고 또 보람찬 것인가 하는 것이 중요한 문제 아니겠는지요? 우리 이제 겨우 인생의 출발점에 서 있는 것 아닐까요? 여기에 벌써 슬픔과 시련이 함께 한다면 그건 너무 불행한 출발이 아니겠습니까?

화야! 무슨 말을 해야만 당신의 마음을 잡아 줄 수 있을까요.
화야가 현재 서 있는 그 곳에서 의미를 찾아보고 싶지는 않습니까?
더 아름다운 멋을 그곳에서 찾아보았는지요?
봄을 맞이할 시간도 없이 또 그렇게 지나쳐 가나 봅니다.

밤이 깊어 가는군요. 부산항의 바다공기가 온통 잠들고 있는 시간입니다. 지금쯤 어느 바닷가 작은 바윗돌엔 밀려오는 파도의 물결이 부서져 내리고 있겠지요? 먼 여행에서 돌아오는 듯한, 뱃고동 소리가 밤의 피로를 더하고 있습니다.

화야! 환하고 밝은 미소, 석에게 보여주고 싶지 않으십니까?

경주에서 석을 생각하며 구입했다는 그 마스코트 한 쌍이 이 시간 어디에서 다정히 밤을 보내고 있는지 궁금하군요.

화야! 또 내일이 오는 길목에 석이 섰습니다.

오늘보다 더 충실하고 멋있는 내일이 되어 주기를 같이 빌어 봅시다. 안녕

1968. 4. 13 석

행복한 요람

석에게!

꿈을 꾸듯 지금의 삶에 열중하고 있습니다. 현실은 어차피 구비졌고, 편지 속의 대화는 때묻지 않는 산속의 초목처럼 그대로입니다.

아름답게 이어나갈 긴 삶의 요람을 위해 서로 만난다거나 하는 과한 욕심 따윈 우리 아예 없애기로 약속해요. 오가는 사연 속에서 위로와 격려, 그리고 지독한 그리움이 있긴해도 이 기다림, 이 아름다운 기다림을 조금만 더 길게 내버려 두기로 해요.

그리고 엊저녁에 석이 라디오에 보낸 사연과 노래를 들었어요.
12시에 첫 번째 신청곡으로 흘러나왔습니다. 그럼 안녕

1968. 4. 15 이화 드림

새로운 시간, 25시

화! 당신은 끝내 영원한 소녀여야 하나 봅니다. 환히 밝게 웃어주기만을 바랬던 당신을 내가 울게 했다면 그 까닭이 무엇인가요?

많은 시간이 흘러간 후에, 아니 당장 지금이라도 화야가 석의 마음을 훔쳐볼 수 만 있다면 내 마음을 조금은 이해해 줄 수 있으리라 생각합니다. 오늘 또 당신을 향해 펜을 잡을 수 있는 단 두 세 시간을 위해 나머지 너무나 많은 시간과 바꿔야만 했습니다. 극히 제한된 석의 시간을 최대한 길게 하려고 오늘도, 내일도 아닌 중간 지점에 새로운 시간 25시를 만들었습니다. 지금부터 25시는 세상에 알려져 있는 오로지 나만의 시간으로 정해져 있을 것입니다.

화! 진정 화가 났소?

그대의 눈물을 보려고 그런 것이 아니었는데… 그렇게 토라져 있으면 내가 미안하잖소. 웃는 것이요? 그럼, 그렇게 웃어주어야지요.

적어도 내가 정해놓은 시간 25시간 만은 당신의 밝은 미소만을 보고 싶으오.

화! 한 번쯤, 꼭 한 번만이라도 땅에서 하늘을 향해 분수처럼 비가 와 봤으면 속이 후련하겠습니다. 석이 미워졌다는 당신의 마음을 어떻게 이해하면 좋겠습니까?

며칠 전 석열이가 다녀갔습니다. 그 곳 방어진의 소식을 전하고 당신의 사진을 보여주겠다고 하는 것을 나는 거절했습니다.

화야가 석의 얼굴을 모르고 있는 한, 나 또한 당신의 모습을 상상에만 맡겨 두기로 미리부터 정해 두었습니다.

화! 다시 또 석이 보고 싶은 마음이 되어 주기를, 그 예쁜 마스코트가 석을 기다리고 있기를 바래봅니다.

혹여 그리 못하겠다 하신다면 굳이 고운 당신의 그 마음, 더는 괴롭히지 않고 영영 밝은 웃음 웃고 있는 당신모습만 기억 하겠습니다.

화. 그래도 한마디 말이 없군요.

그리워 밤마다 못잊었다 하느니보다 '어쩌다 생각이 났노라고' 하는 식의 거짓말은 양심의 가책없이 쉽게 할 수 있습니다.

다시 또 하얀 배꽃이 피는 날을 기다려 보렵니다.

이 밤도 고운 꿈 꾸시길 빌겠습니다.

1968. 4. 19. 25시 석

봄의 엘레지

배꽃은 언제 피나요? 화!

솔베이지의 '엘레지'라도 들려올 듯, 꼭 그런 것이 있어야만 멋이 있으리라 여겨지는 밤입니다.

배꽃이 다 졌다구요?

아닙니다. 석이 보고 싶어 한 그 배꽃은 혹한에 미처 피지도 않았는걸요. 계절의 여왕다운 자연은 온통 푸르름으로 가득 채워져 있겠지요.

때 늦은 야유회 계획이 오는 5일, 일요일로 결정되어 장소를 물색하는 중입니다. 물망에 오른 여러 장소 중에 울산 방어진 등대도 포함되어 있더군요. 마음 같아서는 그곳으로 결정되어 주었으면 싶지만 어떻게 될지 아직은 미정입니다.

다행히 그곳으로 가게 된다면 화야를 혹시나 만날 수 있지 않을까 하는 마음에 부푼 기대도 함께 가져 봅니다.

화야! 그동안 오래 소식 주지 않아 무척 기다렸었는데 모두가 다 안녕하셨으리라 믿겠습니다. 군에 있을 때부터 발가락 사이에 티눈이 생겨 불편을 느끼게 하던 것이 요 며칠 동안 상태가 악화되어 걸음을 걷는데 상당한 고통을 주고 있어 본의 아닌 짜증이 많아졌음을 느낍니다. 동생이 알뜰히 약을 바르고 치료를 해 주고 있으니 곧 낫게 될 터이지만 말입니다.

화! 혹시 석에게 불만이나 실망 같은 감정을 느끼고 있는 것은 아닙니까? 근간의 대화중에 자꾸만 뭔가 틀어지는 것 같은 기분을 느끼게 하니 말입니다.

물론 모든 게 나의 부족함 때문이겠지요. 하지만 악의없는 진실만이 화야와의 대화에 쓰여졌다고 생각하니 문득 감당하기 어려운 자책마저 들며 석에게 주려던 그 마스코트의 안부가 새삼스레 염려되니 말입니다. 항상 환히 밝은 웃음 웃어주기를 희망해 왔던 석에게 해줄 수 있는 대답이 그것뿐이라면 영원한 이방인의 평행선에 대한 순리를 생각해 보는 것이 우리가 해야 할 현명한 결정이 아니겠습니까?

석에게 허용된 25시간이 진심으로 화야의 시간이 될 수 있다고 생각된다면 좀 더 가까이에서 나를 이해해 주기를 청하겠습니다. 석과 화야와의 잘잘못을 가름하자는 것이 아닙니다. 그렇다고 내가 결코 화야와 배꽃의 섭리를 이해하지 못하는 게 아닙니다. 차라리 내게 어리광이나 감당하기 어려울 만큼의 고집을 부려주십시오.

화! 정말 석의 글이나 기다리며 은자의 생활을 하시렵니까? 꿈 많은, 때 묻지 않은 소녀의 상상력이라고 가볍게 넘겨 버리기에는 너무나 근사한 생각이라 여겨집니다.

화! 석의 마음이 그리고 진심이 결코 소리 없는 돌멩이나 쇠붙이가 아니랍니다. 아직은 그래도 모서리가 덜 무디어진 채 멋이 없긴 하지만 꿈이 있고 또 아직은 젊었기에 사랑하고 싶은 마음 전에 사랑받고 싶은 욕심도 있습니다.

석의 생활 속에 있는 작은 변화 한 가지를 알려드리겠습니다. 석은 오는 5월 19일부터 고향 가까운 곳에서 재훈련을 받게 됩니다. 기간은 한 달 간, 아무 다른 생각 없이 의무를 다하렵니다. 짧은 기간이나마 변화한 석의 생활이 무사히 끝나기를 빌어 주십시오. 신록의 오월을 맞아 푸르러져 가는 플라타너스처럼, 우리도 함께 그렇게 푸르러 집시다.

이 밤도 고운 꿈꾸시고 미소 띤 얼굴로 잠들어 주십시오. 안녕.

1968. 5. 1. 25시 석

재훈련 가는 당신에게

석, 기다렸나요? 이렇게 다시 석을 향해 펜을 잡을 수 있는 이 시간이 믿어지지 않습니다.

그동안 꽤 많은 시간들을 저로 인해 잃어버렸다면 어떻게 보상을 해드려야 할까요? 너무도 많은 일상에서의 변화가 저를 이렇게 만들어 버렸기에 당신에겐 진정으로 미안할 뿐입니다.

문득 달이 밝다기에 바닷가엘 나갔다 왔습니다.

흔들리지 말기로 몇 번이고 다지고 다진 저의 맘이 이렇게 석을 향해 달리고 있습니다.

석! 며칠 후에 재훈련을 떠나신다고요? 그땐 꼭 저의 이 편지를 가지고 가주었으면 하고 바래봅니다. 싫으시다면 그만두셔도 되지만요. 욕심 같아서는 떠나기 전에 석의 편지를 한 번이라도 더 받아보고 싶습니다.

이 봄이 가기 전에 꼭 석의 곁으로 한 번 가보고 싶습니다. 이쩌면 이런 걸 정해진 운명이라고 해야 하는지요? 이달 말 경에는 과수원에 일이 조금 한가할 것 같아 꼭 만나러 가리라 내심 약속 했답니다.

마스코트와 산호, 소라를 어떻게 하고 떠나시렵니까?

석! 함께 보내드린 스크랩북은 이 봄의 피날레를 장식하는 저의 마음이니 받아주세요. 석의 방 한 부분을 차지할 수 있다고 생각하니 가슴이 벅차오릅니다. 그럼 그동안만이라도 부디 몸조심 하셔야 해요. 건강한 안부 자주 전해 주세요.

그럼 이 밤도 안녕

1968. 5. 1 과수원에서 이화

솔베이지의 노래

화야!

이렇게 종일 쉼 없이 비가 내리는 날이면 모든 것을 털어 버리고 기약 없는 여행길에 오르고 싶은 충동을 느끼게 됩니다.

비가 오는 날을 석이만큼이나 좋아해 본 사람도 아마 드물 것입니다. 세월이 흐르는 속에 나 또한 이렇듯 무심히 흐르며 살다 보니 그런 감성도 이제 시들해지는 모양입니다.

비가 오는 날이 미치도록 좋았던 지난날의 감성들이 이리 생소해지니 말입니다. 당신을 향해 조용히 펜을 드는 석의 25시에도 저리 무심히 비가 내리고 있군요.

지난 5일 야유회는 계획대로 경주엘 갔었습니다. 목적지가 방어진이 아니라는 불만을 품은 대로 나름 즐겁게 보낸 하루였습니다.

마침 석가탄신일이라 불국사를 비롯한 경주의 고적지 곳곳이 많은 인파 속에 붐볐습니다.

두 달 동안 동생과 석을 그렇게도 알뜰히 빈틈없는 정성으로 돌봐주던 여동생이 내일 이곳을 떠나기로 했습니다.

목포에 있는 이태리인이 운영하는 '콜럼반병원'에서 오라는 연락이 왔기에 또 다시 가족과 헤어지는 듯 야릇한 감정에 슬픔마저 느끼게 합니다. 얼마의 시간이 흐른 후 다시 만나게 될지 알 수 없는 동생과의 이별 앞에서 전에 없이 느끼지 못했던 착잡한 생각들이 밀려듭니다.

지금 라디오에서 이 감정에 불이라도 지르듯 페르퀸트의 '솔베이지의 노래'가 구슬픈 선율을 타고 비 오는 밤하늘을 적시고 있습니다. 철이 들었는지, 아님 나이가 들어서인지, 모든 식구가 한데 모여 옛날처럼 오손도손 살고 싶은 마음인데 이렇듯 하나, 둘 뿔뿔이 흩어져가니 이것이 삶의 현실이라고 체념하기에는 너무나 마음 아픈 일 아니겠습니까?

화야를 만나보리라고 마음을 정했습니다.

석이 그대를 초대한다면 거절하시겠습니까?

절대 그렇지 않으리라 믿습니다.

오는 16일은 회사를 쉬겠습니다.

16일 낮 정각 12시, 범일중학교 교통부 앞 시내버스 정류소(서면, 동래행)에서 기다리겠습니다.

상하 까만 싱글에 손에는 신문을 말아 쥐고 있겠습니다.

회신이 없으면 승낙하는 것으로 믿고 그대로 실행하겠으며 만약 제

뜻에 다른 이견이 있으시면 방법과 시간, 장소를 16일 이전에 연락해 주시기 바랍니다.

아무튼 이번 결정이 터무니없는 망상이 되지 않도록 부탁드립니다.

벌써 시간이 많이 지났군요.

이 밤도 고운 꿈꾸시기 빌며… 안녕.

Solveig's Song 솔베이지의 노래

그리그(Edvard Hagerup Grieg, 1843-1907)

The winter may pass
and the spring disappear
and the spring disappear
the summer too will vanish
and then the year
and then the year
bur this I know for certain
that you'll come back again
that you'll come back again
and even as I promised
You'll nd me waiting then
You'll nd me waiting then

그 겨울이 가고
또 봄이 가고
또 봄이 가고
여름도 역시 덧없이 사라지고

해가 바뀌고
또 해가 바뀌어도
아… 그러나 나는 분명히 알아요
내 님이 돌아오실 것을
다시 오실 것을
내 님이 다시 돌아오실 것을
내 님이 다시 돌아오실 것을
그래서 내가 약속한 대로
내 님은 기다리는 나를 찾아오실 것이에요
내 님은 기다리는 나를 찾아오실 것이에요
그래요, 내가 약속한 대로
내 님은 기다리는 나를 찾아오실 것이에요
내 님은 기다리는 나를 찾아오실 것이에요

1968. 5. 11. 25시 부산에서 석으로부터

섬진강을 끼고

화! 여기는 지리산 어느 이름 없는 능선, 섬진강 하류가 눈 아래 내려다보이는 아름다운 남해를 마주하고 있습니다.

고개를 들어 멀리 발 아래로 내려다보면, 작은 섬들과 육지를 물고 늘어진 산줄기들 사이로 아련히 수평선을 바라보며 힘찬 심호흡도 가능한 곳입니다.

더러는 발동기를 장치한 제법 배다운 통통선도 지나다니고 작은 고기잡이배들이 심심치 않게 왕래하며 나름대로 여유로운 멋이 있는 곳입니다.

땅을 파고 돌담을 쌓고 짚으로 지붕을 이은 임시 막사는 저녁이면 추위 때문에 수시로 곤히 꾸던 꿈을 빼앗겨야 하는 아쉬움이 있긴 하지만 그런대로 생활 할만은 합니다.

행군, 구보와 군대 특수 기합으로 이어진 세 시간의 연이은 첫날의 피로가 아직도 채 가시지 않은 채 벌써 일주일이 지나갔군요. 바다에서 불어오는 소금기 젖은 눅눅한 바람이 피부를 검게 태우는 촉진 작용을 하나 봅니다. 구릿빛이 된 얼굴과 코언저리는 살갗을 벗겨내기까지 하는군요. 해양 경비 및 해안선 경비 근무도 앞으로 며칠이면 곧 끝이 날 것 같습니다.

역시 석은 운이 좋은 사람인가 봅니다. 지금까지 석이 앞에 들어왔던 예비병들도 모두 1개월 씩을 근무했는데 이번부터는 보름으로 규정이 바뀌게 되는 것이 거의 확정적입니다.

6월 초에는 다시 항도 부산에서 화야와 좀 더 가까운 거리에서 생활하게 되겠지요. 지난날처럼….

화! 그동안 집안이 모두 편안하시고 당신도 몸 건강히 평안한 생활 속에 지냈으리라 믿습니다. 화야가 가꾸고 있는 그 과수목들, 당신의 고운 손으로 매만졌을 나무들이 터질 듯한 푸르름으로 가득 차 있겠지요.

저 멀리 어디로 나아가는 배에서인지 가늘고 길게 고동 소리가 들려옵니다. 하나의 의무를 다하면 하나의 권리를 더 주장할 수 있다는 자부심과 함께 모든 고통은 가난과 무지와 안일의 생활에 젖어 있었던 우리 선조들을 탓하며 참고 또 견디며 남은 기간을 보내렵니다.

지금 시간은 아침 7시 반, 대하의 하류와 바다가 합류하는 지점이라 옅은 안개가 피부에 차갑게 묻어옵니다.

화! 석에게 주려던 그 마스코트 혹시 냉대를 당하지는 않는지 염려스럽군요. 그것들을 아끼고 잘 보호해 주는 당신 덕분에 석은 건강하고 무사하며 행운이 따르고 있다고 믿고 있답니다.

오늘이 26일, 지금쯤 당신은 무엇을 생각하며 어떤 일을 하고 있을지, 석이 잡은 펜이 한없이 당신을 향해 그리고 있는 이 시간에 말입니다.

누군가 당신에게 세계에서 아니 세상에서 가장 아름답고 고귀한 게 뭐냐고 묻는다면 무엇이라 대답하시렵니까? 궁금해지는군요.

통통배 한 척이 강을 거슬러 올라가고 있나 봅니다.

오늘은 또 이만 줄여야겠습니다.

그대의 밝고 고운 얼굴 볼 수 있는 날을 고대하며 내내 안녕.

1968. 5. 26 섬진강을 끼고… 석.

봄이 지는 길목

석에게!

포도송이 같이 영글은 아카시아 꽃잎이 시들어 가고 있는데 석, 당신은 지금 어디서 무얼 하고 있는지요?

저는 요즈음 매일 같은 일을 되풀이하고 있는 생활입니다. 당신도 꽤 고된 시간을 보내고 계실거라 생각해 봅니다. 이 글이 석에게 도착되어질 날은 아직도 20여 일이나 남았군요. 그래도 벌써 석의 글을 기다리는 버릇이 생긴 걸 어떡하나요? 너무 오래 오래 기다리는 것 같습니다. 석! 저에게 글을 주시지 않고 무심해도 무사히 훈련을 마치고 돌아오시는 날까지는 틈나는 대로 제가 자주 소식 전해 드릴게요.

석! 오늘은 잠깐 쉬는 시간을 이용해 오랜만에 꽃꽂이를 했습니다. 빨간 장미 한 송이와 함박꽃 한 송이 옥잠화 잎 한 장을 가지고 한번 꽂아 보았습니다. 원하신다면 당신 방에 옮기고 싶었습니다만 이렇게 글을 쓰고 있는 지금 석에게 원망을 받고 있는 건 아닌지….

지난 16일에 약속을 지키지 못했기에 항상 죄의식 같은 것을 느끼는가 봅니다. 미안해요. 먼 훗날 당신과의 만남이 있다면 그땐 꼭 보상 하겠습니다. 하지만 겁이 납니다. 실망이 크실까봐서요.

그럼 만나는 날까지 건강과 영원한 행운을 빌어 드립니다.

1968. 5. 28 방어진에서 이화 드림.

섬진강, 돌아갈 날을 기다리며

보고 싶은 사람. 화!

낮게 자란 소나무 사이로 가느다랗게 열린 듯 조약돌 깔린 산길을 정말이지 혼자 거닐기에는 너무나 안타까운 심정이군요.

오늘도 저 아래 섬진강은 무수히 깊은 정을 품은 채 유유히 내 고향 남해를 향해 흘러가고 있습니다. 이제 남은 며칠, 대한민국의 남아로 태어나 국가와 민족에게 바쳐야 할 의무는 일단 모두 끝이 나는 것입니다. 벌써 끝이 난다는 기분에 석의 마음은 몹시도 들떠 있어 공연히 싱글벙글 웃음이 헤퍼지고 해질녘이면 해변 사람들이 곧잘 즐기는 짜릿한 소주 몇 잔씩에 취해도 보고 싶은 알 수없는 심정입니다.

과수목을 부여잡고 열심히 일하고 있는 화야를 연상해 봅니다. 스카프를 머리에 두르고, 얼굴엔 온통 환한 미소를 띤 채, 더러는 멀리 떨어져 있는 이 석을 생각할 것이라고 말입니다. 화야의 고운 글이 받고 싶어 어서 빨리 훈련을 마치고 부산엘 가야겠습니다. 석의 일방적인 결정으로 화야를 초대했었던 지난번 일을 이제 와 사과를 하자니 어째 좀 쑥스러운 일이 되는 것 같습니다.

아무튼, 그래서 세 시간 이상을 기다리면서도 화를 내지 못했습니다. 얼마 되지 않은 짧은 기간이나마 자연 속에 파묻혀 이렇게 지내다 보니 격에 어울리지 않게 마치 학창 시절에 느꼈던 그런 감상에 젖어 야릇한 그리움 같은 것이 스며드는 것도 같군요. 어쩌면 가장 멋있는 사랑을 하고 있다는 자신감마저도 드는 것 같습니다.

요즈음 석의 25시는 너무나 지루하고 기나긴 시간입니다. 안타깝도록 아쉬움이 가득한 그런 시간입니다. 방어진의 소식이 궁금하군요. 석에게 있어야 할 그 마스코트의 안부도, 혹여 화에게서 홀대나 받고 있지 않을까 괜한 염려마저 들곤 한답니다.

방어진 등대 근처에다 아담하게 작은 집을 짓고 아침 일찍 바닷가에 나가 조약돌을 밟고 서서 밀려드는 포말을 보며, 낮에는 하늘을 온통 덮은 그 푸른 소나무 아래에 등의자를 내다 놓고 책을 읽으며, 뱃고동 소리 귓가에 여무는 밤이면 베갯머리 나란히 밤새워 이야기할 사람이 내게도 있다면, 내 생애의 25시를 모두 모아 그날을 설계해 보리라는 과분한 생각도 해 봅니다.

오후 6시 10분, 가까운 숲속에서 뻐꾸기가 울고 있군요.

또 오늘 밤을 어떻게 뒤척이다가 잠이 들지 모르겠습니다.

돛단배 두 척이 강을 거슬러 올라갑니다.

눈부신 햇살이 산 너머로 비스듬히 걸치고 있는 섬진강의 풍경이 아름답군요. 오늘도 또 이만 줄이렵니다. 내내... 안녕.

1968. 5. 29. 오후 석.

나의 소라언덕

석! 하얀 소라 언덕에 갔다 왔습니다.

아무도 와 주지 않는 곳이지만, 가끔 틈나는 대로 오르는 언덕입니다. 그곳에 갈 때면 항상 까닭모를 불만을 안고 가는데 틀림없을 거예요. 아마도 혼자이기 때문인가 봐요.

석! 요즘은 꽤 많이 고되시죠? 그래도 참고 견디어 나가야 합니다. 오늘도 또 종일 편지를 기다렸습니다. 역시 오지 않는 편지였지만 기다린 것만은 사실입니다. 이렇게 펜을 쥐고 있는 저는 이번 편지로 석의 빈방으로 다섯 번째 찾아가는 작은 손님을 보내는 걸로 기억하고 있습니다. 한 달 동안의 쌓인 피로가 저의 작은 성의로 풀어질 수 있다면 그 이상 기쁜 일은 없을 거예요.

석! 그처럼 시간이 없으신가요? 정말 너무한 것 같지 않습니까? 하지만 원망하지 않습니다. 지금 심정 같아선 석이 계시는 곳을 안다면 달려갈 것 같습니다. 하지만 가서는 안 될 곳이란 걸 알고 있기에 마음만 그 곳으로 달려가고 있습니다.

석! 소라 언덕에 가면 항상 석과의 대화를 하는듯한 감정을 느끼고 옵니다.

어쩜 멀지 않는 날 부산에 한번 갈까 합니다.

석, 당신이 부산에 없기에 살짝 엿보고 올 작정입니다.

그래서 훈련을 마치고 집으로 오실 때 깜짝 놀라게 하려고요.

그렇다고 깍쟁이라고 놀리면 싫어요.

그럼 만날 때까지 건강을 빌면서 착하게 살게요. “아듀”

1968. 5. 30 이화

웃는 그대, 화야

석! 농번기의 고된 일과가 끝나고 이렇게 자리에 들었습니다.

요즈음 저의 생활을 상상해 보세요. 너무너무 초라한 모습입니다. 그래도 훗날 석과의 상면을 고대하면서 살아가는 화야라면 믿지 않으시겠지요?

16일 부산에 또 내려갔다 왔어요. 집에 오니 석열이 오빠께서 막 떠나시려는 순간이었습니다.

5일 온천장에 오셨더라는 얘기 상세히 듣고 바보라고 한바탕 웃어주었어요.

당신도 예외일 수는 없어요. 친우인 만큼 제가 한 번 초대한다면 와주시겠습니까?

마스코트와 소라가 울고 있습니다.

저는 싫다는 걸 어떻게 합니까? 빨리 데려가 달랍니다.

이렇게 시골에서 생활하는 제가 가엾게 생각되시지 않습니까?

하루라도 빨리 이곳을 떠나 멀리 조용한 곳에서 머무르고 싶습니다. 그래서인지 석의 다정스러운 글을 기다려 봅니다.

참! 재훈련 가신 뒤에 제가 보낸 편지가 4~5통이라고 기억하고 있는데요.

그리고 보내주신 섬진강 소식과 망덕에서의 소식도 잘 받았습니다.

이번에 보내드린 사진은 그만 보고 돌려주세요.

또 당신 사진도 보고 싶은 욕심이 생기는군요. 그땐 어떤 상태의 정신이었는지 몰라요.

그냥 웃고 말겠습니다. 저만 웃을게 아니라 석도 환히 웃어주세요. 항상 웃고 사는 화야 이니까요.

석열이 오빠가 가시면서 "화야! 시집가도 그렇게 항상 웃고만 살아야 한다"라고 하셨어요.

석, 이밤도 편히 주무세요. 저도 자야겠어요. 그럼 건강을 빌면서 볼펜 글씨를 용서하세요. 내내 안녕.

1965.6. 2 花 드림.

다시 부산으로

화! 오늘이 6월 8일, 어제부터 또다시 짙은 나무 냄새와 함께 종전의 생활로 돌아왔습니다.

부산을 떠나 생활하는 동안 석의 초라한 방안에서 석의 안부를 걱정하고 있던 화야의 다정한 글과 정성이 담긴 그 사진첩들을 모두 반갑게 잘 보았습니다.

석은 지난 5월 31일 자로 무사히 재훈련을 마치고 고향 집에 도착하여 며칠 동안 어머님과 동생들 사이에서 집안일을 돌보며 모처럼 즐거운 시간을 보냈습니다.

이리 다 큰 아들을 대하시는 어머님의 정이 마치 어린 아기를 대하시는 듯 담뿍 뜨거운 정이 있어 눈시울이 젖어 오는 것만 같았습니다.

4일 부산에 도착하여 온천장에서 화야가 보낸 엽서도 잘 받았습니다. 덕분에 고등학교 때 가보고 지금까지 가보지 못했던 금강공원을 다음날인 5일 찾아가서 종일 한가롭게 놀다 왔습니다.

무슨 일인지 궁금하겠죠?

사연인즉, 개구신(석열)이 나를 만나자고 쪽지를 보냈기에 만나서 화야의 이야기를 했더니 화야를 한번 찾아가 보자고하기에 그 어설픈 개구신의 기억과 육감에 기대를 걸고 온천장 재활원 부근을 약 두 시간 정도 헤매다가 지쳐 할 수 없이 금강공원을 갔었던 것입니다. 오랜만에, 정말 무척 오랜만에 탁구도 쳐보고 개구신과 마주 앉아 잔뜩 취하도록 술도 마셨습니다. 그래서 다음날은 종일 삭막한 방안에서 나뒹굴며 전날의 숙취를 풀어내야 했습니다. 아주 어색해진 기분으로 7일 아침 출근해 서먹한 하루를 보내고 퇴근 후엔 저녁 밥상머리에서 다시 화야의 원동마을 소식을 받아보았습니다. 동봉한 사진을 보며 며칠 쯤 더 늦게 출근할 각오를 했었습니다. 기어이 울산으로 떠나면서 보내준 편지를 받고 보니 고귀한 무엇을 몽땅 잃어버린 듯 허탈한 기분입니다. 개구신과 함께 방어진에 가리라 계획했던 것이 또 다시 기약 없는 날이 되고 말았군요. 화야를 만나서 꼭 들려주고 싶었던 이야기는 어느 지점에서 침묵으로 기다리게 되었습니다.

화! 지금쯤 여행을 마치고 다시 '소라 언덕'에서 꿈을 꾸고 있겠지요. 적어도 석은 인간의 운명이나 생애에 대해 아직 두려움 같은 것을 느껴보지는 못했습니다. 다만, 태양이 폭발해버렸으면 하는 막연한 상상력으로 괴로울 때가 있긴 하지만….

화! 석의 마음을 송두리째 붙잡아 매어 보리라 하는 생각은 혹, 해보지 않았겠죠. 두려움 때문에 용기를 잃은 것인지도 모르겠지요. 아무튼 변화 없이 건조한 석의 생활에 그래도 가끔 전해오는 방어진의 등대 소식과 소라 언덕의 아름다움이 있어 나의 생활이 얼마나 윤택

했는지에 대해 말하겠습니다.

비굴하지 않게, 멋있게 살자는 나의 인생관이 그대로 이어져 주기를 희망해 주십시오. 못다한 대화는 또 다음에 깊은 침묵을 깨뜨려주기를 희망하며 이 밤도 고운 꿈 꾸십시오. 안녕.

1968. 6. 8. 25시 부산에서 석.

그리운 마음

석! 허니문(honeymoon)의 꿈이라도 키우고 싶은 계절, 뻐꾸기는 또 목이 멥니다.

6월의 훈풍이 창을 스치고 가는 밤, 달이 꽤 밝군요. 가슴을 헤치고 마구 맨발로 파도를 밟고 싶은 충동을 어떻게 할까요? 저는 덕분에 무사히 도착해 농번기를 맞아 바쁜 집안을 돕고 있어요. 그곳까지 가서 당신에게 가지 못하고 엽서 한 통을 띄우고 온 저를 바보라고 웃으시겠죠?

알뜰하고 다정스러운 글을 며칠 째 기다리다 또 펜을 잡았습니다. 당신이 재훈련을 간 뒤에 무엇이 도착 되었는지를 알려주세요. 물론 착오 없이 다 받았을 줄 압니다만, 확인해보고 싶습니다.

석! 빨리 당신에게 가고 싶습니다.

어느덧 내일은 야간 중학교 시간표에 제가 맡은 음악수업이 있는 날이에요. 고되어도 나가야 합니다. 꼭 당신과 의논을 해서 결정지으려 했건만 연락할 길이 없었습니다.

모두 봉사하고 있습니다.
바쁜 생활 속에 느끼는 희열과 충만함이 있어요.
이만 총총 난필을 놓습니다.

1968. 6. 13 다정한 글을 기다리는 화야가

내게 힘이 되는 그대

보고 싶은 화야!

또 하루, 석의 하루가 다하는 25시.

변함없이 때 묻은 베갯머리에 다시 정이 담긴 화야의 편지를 두고 오늘 하루 무사히 살았다는 감사함과 내일을 바라보는 야릇한 기대감에 화야를 향하여 펜을 듭니다. 훈련을 마치고 돌아와 화야에게 보냈던 편지를 받았다는 소식이 없어 몹시 궁금한 마음입니다. 그리고 섬진강 소식을 담아 보냈던 훈련 중의 두 번째 편지도 받았는지 아니면 받아 보지 못했는지 알고 싶군요. 훈련 중에 당신이 범일동으로 보냈던 편지 두 통과 사진 수집첩은 잘 받았으며 온천장에서 보냈던 엽서와 그 후에 울산으로 가면서 보냈던 편지도 잘 받아 보았습니다. 동봉했던 사진도 잘 받아 간직하고 있으니 안심하십시오.

요즈음 석은 어쩌면 하이틴 시절 석의 마음을 괴롭게 했던 온갖 회상과 감상에 젖어 방황하던 그 때처럼 왠지 모를 혼란스러움에 젖어 몹시도 힘이 듭니다.

화야! 석에게 힘을 주십시오.

결코 어떠한 유혹과 고뇌에도 굽히지 않는 힘을 말입니다.

요즈음은 무척 바쁜 시절이겠지요?

모든 일에 재미와 의욕을 갖고 선하게 살아 주십시오.

나 또한 지루하게 긴 시간 나만의 25시를 위해 혼신을 다해 견디며 생활하고 있습니다.

바다가 더욱 사무치게 그리워지는 계절이 익어 가는군요.

방어진 등대 송림이 무척이나 푸르겠지요.

그렇게도 화야가 좋아하는 그 소라 언덕이 보고 싶습니다.

고된 낮 생활 후에 야간 학교에서 가난한 학생들을 가르칠 수 있다는 화야의 그 마음을 고맙게 생각하며 많이 칭찬해 주고 싶습니다. 이 밤도 착하고 고운 꿈 꾸시길 빕니다. 안녕.

1968. 6. 14. 25시 석.

2부
그리운 사람에게

마른 풀이며 볏겨로 모깃불을 피우는 밤,
유난히 곱고 신비로운 은하수가 쏟아질 듯 흐르고,
하나 둘 별 헤는 베갯머리에선 풀벌레 울음소리가
솔베이지의 애틋한 사랑을 속삭여 주는 듯한
감미로운 고향의 밤이 이 글을 쓰고 있는 지금 불현듯
그리워지는 것은 무슨 이유일까요.

보내온 편지를 정리하며

그리운 사람에게.

지난 월요일 아침부터 며칠 째 지척에서 새벽 바닷바람을 한껏 마실 수 있어 무척 상쾌하고 가벼워진 마음입니다.

태양이 솟지 않는 바다, 엷은 베일에 가린 듯 온통 자욱한 안개에 덮인 바다는 마치 태고의 신비를 그대로 지닌 것 같아 혼자만의 비밀스런 즐거움을 느끼고 있습니다.

오늘 아침 퇴근하여 11시가 넘도록 자고 일어나 무료한 마음에 무엇을 할까 생각하다가 그동안 화야에게서 온 다정한 글들을 정리해 보기로 하고 편지통을 쏟았습니다. 6개월 째 보내고 있는 이곳으로 보내온 것을 하나하나 다시 펼쳐서 읽어 보노라니 화야를 좀 더 가까이에서 대하는 것 같아 가슴 흐뭇함을 느꼈습니다.

화! 무척이나 바쁜 계절이겠군요. 바쁘게 쫓기는 시간 속에 항상 석이 바라는 환하고 고운 웃음 웃고 있는 화야가 되어 주길 원합니다. 꼭 계절의 탓만은 아니겠지만, 아무도 아는 이 없는 바닷가 작은 마을에 가서 며칠 동안 바다를 티없는 마음으로 한껏 품고 지내다 오고 싶은 심정입니다. 다정한 말벗이라도 있어 파도 부서지는 바닷가 바위 위에 앉아 밤새워 이야기 나눌 수 있는 생각만 해도 마음은 벌써 그렇게 한 것처럼 벅차 오는군요. 완전히 우주를 벗어난 지점. 세상의 끝점에서 좀 더 멀어진 나만의 시간 25시를 그곳에 그려보고 싶은 심정입니다.

화야! 만약 석의 이 바람이 이루어져 화야 당신을 초대한다면, 석이 이끄는 대로 세상의 끝까지 우리 둘만의 그 25시를 나눌 수 있는 용기가 있겠는지요? 아무런 마음의 부담 없이 모든 것을 훌훌 떨쳐버리고 나만의 생각대로, 그런 여행을 떠나 보고 싶은 심정입니다. 바쁜 일과에 시달리는 당신에게 공연한 넋두리를 늘어놓은 것 같아 미안합니다. 무엇인가 들려주어야만 할 이야기가 있는 것 같은데 막상 펜을 들다 보면 '석은 또 로타리 중앙에서 길 잃은 머슴애!'가 되지만 언젠가는 못 다한 그 이야기를 해야 하고 또 화야는 들어 주리라 믿습니다. 서로의 마음이 마음으로 통하고, 서로의 바람이 절실하게 일치하는 날을 기다리면서 오늘은 또 이만, 다음까지 내내 안녕.

1968. 6. 19 석으로부터

과수원 일을 끝내고

그동안 안녕하셨어요? 저는 덕분에 별고 없네요.

요즈음 병석씨의 생활은 어떠한지, 해수욕은 몇 번쯤 다녀오셨나요?

화야는 나체족들이 뒹구는 이곳 해수욕장에 서면 저속함 같은 걸 느끼는데 웬일일까요?

한 번 와 주리라는 마음에 또 실망을 주시렵니까?

지난 3일, 당신이 오기를 얼마나 기다렸다고요.

막연한 기대이긴 했지만.

그리고 4일 날은 친우들과 모임이 있어 시내에 나갔다 왔습니다. 회사 일이 바빴으리라 이해를 하고 돌아오면서 꼭 만나서 궁금한 것들을 묻고 싶었는데 역시 실망만 했군요.

석, 오늘 과수원 봉지 씌우는 일이 끝났습니다.

돌아보니 기분이 좋았습니다.

꼭 시간을 내어 부산에도 한 번쯤 가리라 생각하고 있습니다.

어머님이 그곳으로 오셨습니까? 편안히 잘 모시다가 보내드리세요. 석을 위해서 살아오신 어머님이 아니신가요.

제게도 가엾은 어머님이 계시기에.

저는 힘이 없는 여자기에 어쩔 수 없지만요. 괜한 소릴 했군요.

그리고 석열이 오빠 만나시거든 우리 작은 오빠는 한 달 전에 직장을 얻어 서울로 갔다고 전해 주세요.

복숭아꽃이 다 지기 전에 한번 다녀가라고도 전해주세요.

1968. 6. 20 난필 용서를 바라면서. 화

그리운 사람에게

오늘이 6월 23일, 한 주일 동안의 야간근무가 끝나는 날입니다. 보다 의미 있는 시간을 보내리라 생각했던 것이 그저 별다른 일없이 평범한 하루가 되고 말았습니다. 다시 내일부터는 석의 25시를 밤 가운데 두고 아침에 출근하여 저녁에 퇴근하는 종전의 생활로 돌아가게 됩니다.

짧은 기간이나마 그동안도 아무 탈 없이 분주한 농사일에 충실했으리라 믿습니다. 보내준 편지 잘 받았습니다. 꼭꼭 답을 보내주는 그 고운 마음에 감사드립니다.

마른 풀이며 볏겨로 모깃불을 피우는 밤, 유난히 곱고 신비로운 은하수가 쏟아질 듯 흐르고, 하나 둘 별 헤는 베갯머리에선 풀벌레 울음소리가 솔베이지의 애틋한 사랑을 속삭여 주는 듯한 감미로운 고향의 밤이 이 글을 쓰고 있는 지금 불현듯 그리워지는 것은 무슨 이유일까요. 수줍은 연인들이 하늘의 별을 이야기하는 것은 사랑을 고백하는 것이라고 말한 어떤 사람의 글이 생각납니다.

지금쯤 방어진 등대아래 바닷가에는 별빛 담은 검푸른 물결이 아름답게 흩어지곤 하겠지요. 지난번에 보내주셨던 동생과 함께 찍은 사진은 다음에 다른 사진을 받고 돌려드리겠습니다. 그리고 석의 사진은 지금 가진 게 없어 드리지 못함을 미안하게 전합니다. 결코 다른 의미가 있는 것은 아니니 오해 마시기를 바랍니다.

화, 요즘은 무엇을 생각하며 생활하고 계십니까? 세상사람 대부분이 어쩌면 모두가 현실에 만족하지 못하고 고통과 괴로움을 참고 견디며 그 언젠가 찾아올 아름다운 미래에 모든 것을 걸고 살아가는 것은 아닐까요? 꿈이 너무 크고 화려하면 그만큼 실망과 괴로움도 큰 것이기에 이 모든 것조차 감수할 수 있어야 한다고 생각합니다. 큰 부피의 기체가 아주 작은 부피의 액체로 변화하고 그 액체가 더 작은 고체로 변화하는 원리처럼 꿈이 현실로 변화하는 데는 얼마만큼의 비중으로 줄어드는지를 생각하지 않을 수 없을 것입니다. 석은 가끔 이런 것들을 생각하며 서글픔 같은 마음의 아픔을 느낍니다. 시간이 흐르고 그 속에서 점차 꿈을 잃고 현실에 적응해 가고 있다는 사실 말입니다.

산다는 것이, 그리고 살아간다는 것이 모두 이런 것인가 하는.

글이 또 너무 어지러워졌군요.

이 밤도 고운 꿈 꾸십시오. 안녕.

1968. 6. 23. 25시 석.

동생들의 동무가 되어주기를

화야에게.

마치 성냥 통을 뒤집어 놓은 듯한 생명을 잃은 원시림, 해변을 널찍이 차지한 원목 야적장에 굵직한 쇠줄로 묶인 채 굽실대고 있는 아름드리 나무둥치들이 있어 더 무료하고 가슴 답답한지 모를 일입니다.

그래도 수평선에서부터 밀어 올리는 소금기 머금은 바람이 있어 질식은 면하는가 봅니다.

점점 더워지는 날씨, 갈증 나는 기후에 그동안 별고 없으신지요? 출퇴근길에 진열대 위에 쌓여있는 싱싱한 여름 과일들이 한층 식욕을 더하는걸 보면 방어진 과수원의 과목들도 지금쯤은 탐스러운 열매를 맺고 있겠다는 생각입니다.

석은 그동안 화야의 고마운 염려 덕분으로 아무 탈 없이 회사 일에 전념하고 있습니다. 어쩌면 무척 어려운, 아니면 기꺼이 들어주리라 여겨지는 부탁을 하나 해야 하겠습니다. 아직 시일이 있으니 천천히 잘 생각하여 대답해 주시기 바랍니다. 다름이 아니고 25일쯤 학생들이 모두 여름방학에 들어가게 되는데, 이 곳에 같이 있는 고등학교 일

학년 동생은 고향 집으로 내려가고 그 대신 고향에서 국민학교 6학년과 5학년에 다니고 있는 두 남동생들을 이곳에 오게 하여 그들의 여름 방학을 잠시나마 즐겁게 해 주고 싶습니다. 그렇다고 회사를 쉴 수도 없고 하여 매일 같이 동생들과 지내기가 어려울 것 같아 생각한 나머지 동생들이 이곳에 와 있는 동안 화야가 그들의 동무가 되어 주면 하는 생각을 해 보았습니다.

이곳 일신산원에 다시 와 트레이닝을 받고 있는 여동생도 있긴 하지만 그 시간이 아침반, 오후반, 저녁반으로 교체되고 또 기숙사 생활을 하기에 어렵다는 생각이 듭니다. 허락해 주신다면 화야의 숙식에 지장이 없도록 주선해 두겠습니다. 이런 계획이 실현되지 않는다면 석은 꼬박 한 달 동안 어쩔 수 없이 혼자 생활하게 되는 것입니다. 어쩌면 혼자만의 욕심으로 생각해낸 일인지는 몰라도 나름 퍽 좋은 생각이라고 봅니다. 화야도 집에서 여러 할 일이 많겠지만 굳이 핑계를 댄다면 틈을 내서 피서 놀이 나가는 셈 치고 잘 생각해봐 주시길 바랍니다.

홀어머니 밑에서 자라가는 동생들을 좀 더 즐겁고 활발하게 키워 주고 싶은 석의 마음입니다. 일신산원에 있는 동생에게 이 이야기를 했더니 그렇게만 할 수 있다면 얼마나 좋겠느냐고 쾌히 찬성했답니다. 고향에 계신 어머니께서도 기뻐하실 것이고 이곳에 오게 될 동생들은 아마 날듯이 즐거워할 것입니다. 이런 부탁을 하면서도 너무 무리한 부탁인 것 같아 조금은 어색하군요. 하지만 이왕에 계획했던 일이라 실현 가능성을 확인해보고 싶었습니다. 잘 생각해 보시고 대답해 주시기 바랍니다. 그럼 오늘은 이만 줄이겠습니다. 내내 안녕.

1968. 7. 4 밤

화야의 친구

화야! 오늘 아마도 송도며 해운대, 광안리 등의 해수욕장이 피서객들로 무척 붐볐으리라 짐작하며 섭씨 40여 도를 오르내리는 나무먼지 속에서 쇠붙이와 함께 땀과 기름투성이로 또 하루 해를 보냈습니다.

땀을 씻기 위해 목욕을 한 후 머리를 감고 지금 막 이발소엘 다녀와 동생이 들여놔 주는 얼음 띄운 미숫가루를 한 그릇 마시고 나니 아주 만족하고 한가한 마음이 되어 화야를 향해 입을 열었습니다. 화야의 그 긴 침묵의 시간이 무엇을 의미하는 것이었는지 석은 무척 궁금하고 긴 시간들이었습니다. 하지만 화야의 편지를 받고 당신이 전하는 그 이유를 전부 그대로 믿기로 했습니다. 갈라지는 논바닥, 노랗게 말라 비틀어지는 벼, 여러 사람과 함께 얼마나 애를 태웠겠습니까? 그래도 다행히 늦게나마 비가 내려서 모내기에는 지장이 없는지요? 그리고 화야가 그토록 정성 들여 손질하는 과목들도 모두 충실한지 특히 배꽃의 결실들이 염려스럽습니다. 바쁘게 돌아가는 시간 속에서 석의 그 예쁜 마스코트가 화야의 염려밖에 놓여있지나 않은지 궁금한 일들이 많기도 합니다.

화야, 그 동안도 모든 일에 충실하고, 무탈한 나날들이었으리라 믿습니다. 이곳 석도 화야의 정성어린 염려에 힘입어 항상 즐거운 생활 속에 의욕적으로 임하고 있습니다. 무척 어렵고 곤란한 부탁을 했다고 생각은 하면서도 은근히 승낙의 회답을 기다렸었는데 섭섭하지만 할 수 없군요. 하지만 절대로 화야를 원망하는 생각은 하지 않습니다. 처음부터 석의 일방적인 제의였으니까 말입니다. 하여 그 계획은 어머니를 함께 모시도록 변경하겠습니다. 그리고 또 이야기할 게 있군요. 얼마 전에 우리 회사 검수 아가씨가 공무과에 와서 석을 찾더라고 동료들이 전언하면서 누구냐고 따지고 묻는 바람에 석도 모르는 일이라 답을 못했습니다. 그 이튿날 석이 출근할 때쯤 다시 찾아 왔더군요. 김병석이라는 사람을 찾는다기에 나가봤더니 얼굴만 보고는 그냥 가려 하기에 의아스럽기도 하고 또 약간은 불쾌하기도 하여 무슨 일이기에 날 찾았느냐고 다시 불러 물었더니 화야의 학교 친구라고 하더군요. (뒤에 알았는데 서양이라고 하더군요) 당황스러워 더는 아무런 말을 하지 못했습니다. 그저 친구에게 석이 선을 보인 것으로 알겠습니다. 그런데 모르긴 해도 그 화야의 친구분이 석을 본 것도 그때가 처음이었으리라 짐작됩니다. 같은 직장에 있으면서도 석이 서양을 본 것도 처음인 것으로 기억하니까요. 아마 앞으로는 자주 볼 수 있으리라 생각합니다. 얼굴을 기억하니까요. 아무튼 석의 생활을 엿보고 있는 사람이 생겼기에 앞으로는 각별히 조심해야겠습니다. (화야의 친구 분에게 혹여 잘 못 보이기라도 한다면 안 될 터이니까요)

화야! 지난 7일 석을 기다리며 우울해하셨다고요? 석이 연락을 받지 못한 것은 아닙니다. 석은 무척 가고 싶었는데 모든 게 마음대로 되지 않는군요. 하지만 기어이 이 여름이 다 가기 전에 꼭 방어진 바다와 함께 화야를 보러 가렵니다. 어쩌면 과수원에 복숭아가 한창 일 때 가게 될지도 모릅니다. 기다려 주십시오. 석의 올해 여름 하계 휴양지가 꼭 방어진이기를 바래봅니다. 방어진의 기억이 생생한 것 같으면서도 아스라이 희미하군요. 혼자의 기억으로는 찾아갈 수도 없을 것 같은 막연함까지 느끼게 합니다. 누군가의, 아니 꼭 화야의 안내로만이 방어진을 찾을 수 있을 것 같습니다. 화야, 정식으로 다시 한 번 석을 초대해 주십시오. 시일의 결정만은 미루어 주시고.

내일부터 다시 한 주일이 주말 없이 시작 되는군요. 글쎄요, 도대체 얼마나 이런 생활을 더 계속할지 마음은 여러 가지 결정해야 할 일들을 앞에 두고 초조해하면서도 아직은 그냥 그날그날을 보내는데, 솔직히 말해 시간을 보내고 있는데 의의가 있는 것입니다. 현재의 일들이 자신의 과감한 판단과 실행을 기다리고 있습니다.

아직은 그 시기가 그리고 판단력의 거리를 가지고 있는 모양입니다. 공연히 흥미 없는 이야기가 너무 길어졌습니다.

그럼 이 밤도 고운 꿈꾸시고 보람 있는 내일이 되기를 기원하겠습니다.

내내 안녕.

1968. 7. 25. 25시 김병석

포도나무 아래에서

석에게

무더운 여름날의 오후입니다. 파란 배나무 잎을 타고 불어오는 바람이 가을을 연상하는 것 같기도 하군요.

사방에는 안개가 자욱이 끼었습니다. 그래도 앞바다엔 피서객들로 붐비고 있나 봐요.

저는 지금 과수원 한 귀퉁이에 차지한 포도나무 아래에 이렇게 홀로 누웠습니다. 봄부터 애써 가꾸어온 배에 두 번째이자 마지막 봉지를 씌워주는 첫 날입니다. 복숭아밭에 가보니 한창 맛깔나게 익어가고 있습니다. 쉴 새 없이 화야의 손길을 기다리는 나무들이 얄밉기도 했습니다. 그것 때문에 생활이 초라하고 비참하기에.

하나 이젠 제법 귀여워 보이기도 합니다.

석, 정식으로 초대하고 싶긴 하지만 자신이 없어졌습니다. 저를 찾아주신다면 더없이 기쁘겠지만 실망을 안겨 줄 것을 생각하니 두려움이 엄습해 오고 있습니다.

지난번 사진을 돌려주시든지 석의 사진을 보내시든지 하시지 않으시렵니까?

그리고 기회가 있어 이곳으로 오시려면 미리 연락해 주시기를 바라겠습니다.

동생들에게 실망을 주지 않도록 어머님을 꼭 그곳으로 모시고 생활하세요. 이런 말 한다고 저를 미워해도 괜찮아요. 난필 용서하세요.

1968. 7. 26 화

비오는 날의 딸기주

화야에게.

이렇게 종일 지리하게 비가 내리는 날이면 석은 또 어쩔 수 없이 초조한 마음을 붙잡기에 안간힘을 써야 합니다.

좀처럼 잠을 이룰 수가 없는 것은 또 무슨 까닭일까요.

단지 비가 내리고 있다는 이유만은 아닌 것 같습니다.

가까운 부두에서 뱃고동 소리가 빗속을 지나 더욱 가깝게 다가와 울립니다.

화야! 짧은 동안이나마 건강한 몸으로 생활에 충실하신지, 석도 화야의 따뜻한 염려로 무탈한 삶에 충실하고 있답니다.

화야가 보내준 낯익은 글 엊그제 잘 받아 보았습니다. 방학을 맞은 동생을 고향으로 내려 보내고 이틀간 혼자 지냈습니다. 생전 처음으로 작은 냄비에 한 끼 밥이라는 것을 해 보았습니다. 그런대로 잘되더군요. 생각해 보았습니다. '장가를 가야겠다고'. 석을 위해 정성 들여 차린 밥상을 받으면 무척 맛있게 먹어 주리라는 생각도.

고향 어머님과 큰 동생이 정성껏 빚어 보내준 산딸기 술이 그제 두 되쯤 도착하였습니다. 친구들과 밖에서 술을 나누게 될 일이 있으면 집으로 초대해서 마시라는 전언과 함께 받은 그 딸기술을 금방 작은 잔으로 석 잔을 마셨습니다. 약간 많이 마셨다는 예감대로 알콜에 신경이 마비되는 느낌입니다.

화야! 술에 취한 석의 모습이 어떤지 궁금하지 않습니까? 만용이 생기지 않는 한 술 취함도 멋이 있어 좋더군요. 석의 이야기에 귀를 기울여 줄 다정한 사람이, 화야가 곁에 있어 준다면 흠뻑 취해서 긴 이야기를 하고 싶은 심정입니다. 미안, 공연한 말을 또 했나 보군요. 하지만 안심하십시오. 석의 생리 자체가 맥주 500cc 한 컵 정도로 만족하고 더는 마시기를 거부하는 것이니까요.

빗소리가 더욱 커집니다. 이제 밖으로 나가보렵니다. 옛날처럼 또 한 번 비를 맞아 보고 싶군요. 화야의 과목들도 비를 흠뻑 맞겠지요. 가보지 못한 방어진의 빗속 풍경이 아련히 떠오릅니다.

어젯밤 회사에서 서양을 만났습니다.

석을 보고 화야를 만난 적이 있느냐고 묻기에 없다고 대답했더니 화야의 큰 키며 조용한 성격 등 듣기 좋은 자랑을 하더군요. 아무튼 석은 자신이 칭찬을 받은 것처럼 기뻤습니다. 펜을 잡은 손이 자꾸만 제멋대로 달리려는군요. 글이 어지러워짐을 용서하십시오. 비 탓이라고 변명하렵니다.

화야! 이번 주 토요일부터는 시간을 낼 수도 있을 것 같은데 어떻게 할까요? 한 삼일은 무난하리라 예상합니다. 대답 주십시오. 그리고 석의 사진은 아직 없군요. 변명이 아니고 정말 최근에 찍은 사진이 지금은 한 장도 없습니다. 꼭 사진을 원하신다면 곧 만들어 보내드리겠습니다.

비가 내리는 오늘은 무엇을 하시는지?

석을 생각하며 빗소리에 귀를 기울여 주기를 바란다면 지나친 욕심일까요?

오늘은 또 이만 줄여야겠습니다. 더는 펜을 잡고 있기가 곤란하군요. 그럼 내내 안녕.

1968. 7. 29 석으로부터

부서지는 은파속에

화야!

사랑하고 싶다는 것 보다, 사랑받고 싶다는 마음이 앞서는 것은 터무니없는 욕심 때문일까요? 아니면 저 가슴이 저리도록 밝은 달빛 탓일까요?

어제는 퇴근길에 친구의 초대를 받고 회사 근처 친구의 집에서 몇 잔 술과 여름 과일을 대접받고 약 2km 남짓한 바닷가 길을 걸었습니다. 혈관속에 흐르고 있는 알콜 기 섞인 젊은 피의 탓만은 아니리라. 하늘에 걸려 있는 둥근 달이, 아니 바다에 잠긴 채 물결 따라 부서지는 은파가 너무나 좋아 그곳에 그냥 그대로 정지해 버리고 싶은 심정이었습니다. 석이만의 그것이 아닌, 우주가 온통 그대로 정지한 상태, 물론 시침도 못박혀야겠다고, 하지만 한 가지 걱정스러운 것은 화야와 석이 서 있는 그 공간적 거리 그것은 정지해서는 안 되겠다고. 어젯밤과 같은 그런 감정 상태에서 석이 화야를 그런 밤 바닷가에서 만났다면 어떠했을까. 누군가의 글 제목처럼 정말 '머무르고 싶은 순간'

이었습니다.

화야! 그동안 몸 편히 충실히 살았다니 고맙습니다. 석도 화야의 염려로 무탈한 나날을 보내고 있답니다. 지난 번 편지 보내고 그동안 소식이 없어 무척 화가 났었습니다. 이제 편지가 오더라도 답장도 안하리라고 어린애 투정 같은 생각도 해 봤습니다만, 결국 또 편지를 받자마자 이렇게 자세를 잡고 앉게 되는군요. 아무튼 한껏 짜증이라도 부려 보고 싶은 심정이었습니다. 3일날 석이 찾아오지 않아 서운했었다고 하는 화야의 심정 이해하며, 찾아가지 못한 점 사과드립니다. 하지만 분명히 화야에게 "어떻게 할까요?" 하고 물은 것으로 기억하는데요. 꼭 오라고만 하는 답을 했더라면….

아무튼 화야의 그 기다림을 헛되게 한 것은 진심으로 사과합니다.

그동안 해수욕장엔 한 번도 가질 않았습니다. 우리 둘이 좋아하는 그 바다엔 너무나 무례한 사람들이 들끓고 있어 마치 에덴동산에서 쫓겨난 아담이 밖에서 서성거리는 듯한 그런 마음입니다. 올해는 해수욕 같은 것을 하지 않기로, 바닷가에 사람이 하나 둘 불어나기 시작할 때부터 이미 생각했었습니다.

지난 3일 이후 서양을 만나지 못했습니다. 일부러 찾아다니며 만나보기가 번잡스러워 자연스럽게 만났을 때 다시 화야의 이야기 들으리라 생각하고 미루었습니다.

고향의 어머님이 아직 오시지 않는군요. 아마 집을 비우고 나오시기가 꽤 힘이 드시나 봅니다. 해서 석도 굳이 어머님을 오시라고 재촉할 수가 없답니다. 방학을 맞은 동생들이 며칠간 그나마 이곳에서 지내게 되기를 바랐었는데 사정이 이러고 보니, 요즘 석도 가끔 서글픈 감정을 삼킬 때가 있답니다. 계획했던 일들이 마음먹은 대로 되지 않는데 대한 패배감 같은 것을 느낌으로 이것이 산다는 것인가? 터질 듯한 불만과 짜증을 누구에게 터뜨려 볼까? 이런 감정에 얽매일 때면 그저 아무렇게나 닥치는 대로 '될 대로 되라'는 식으로 살아 버릴까 하는 충동도 느끼곤 한답니다.

화야! 석이 있는 부산엘 한 번 와 주시지 않겠습니까?
그 무뢰한들에게서 우리의 바다를 찾아야 하지 않겠습니까?
화야가 봄부터 그렇게 알뜰히 손질해 오던 배가 성숙할 때는 이미 가을이겠지요. 그 때쯤이면 오시렵니까? 그럼 이 밤도 안녕

1968. 8. 10. 25시 석

잊지못할 노랫소리

사랑하는 화야!

부산행 직행버스 차창 밖으로, 가만히 손을 들어 흔들어주던 화야의 모습이 멀어져 갈 때 또 한 번 석의 가슴은 견딜 수 없는 괴로움에 떨어야만 했습니다.

아직도 부서지고 있는 그 파랗고 하얀 파도 소리가 석의 가슴 가득 밀려들고, 달빛이 찬란히 부서지는 방파제에서의 고운 화야의 노랫소리가 지금 이렇게 석의 귓가에서 맴돌고 있습니다.

무사히 집에까지 잘 갔는지 궁금합니다.

어머니와 오빠의 걱정이 대단했겠군요. 석의 탓이라고 욕해주십시오. 석은 화야가 손을 흔들어주던 모습을 담은 채 달리는 버스 시트 속에서 잠이 들었습니다. 모든 피로가 한꺼번에 엄습해 왔는지 잠이 깨었을 땐 금강공원 뒷산이 석의 시야에 들어왔습니다. 집에 도착하니 일곱 시가 조금 넘었습니다. 눈을 감으면 펼쳐지는 파랗게 긴 수평선, 반짝이는 달그림자, 귓전을 울리던 파도 소리와 화야의 고운 노랫소리, 속삭임, 이런 것들을 어떻게 모두 감당할 수 있겠습니까? 화야! 무슨 이야기를 어떻게 할 수 있을까요. 모든 것이 가슴 벅찬 감격 그것이었습니다.

화야! 당신의 그 정성 어린 모든 것들 정말 고마웠습니다. 화야의 벗들에게 추호도 주저하지 않고 석을 동반해 줄 수 있었다는 것, 석의 옷가지를 매만져주던 화야의 손길 하나하나에도 일일이 무릎이라도 꿇고 감사하고 싶은 심정입니다. 화야! 당신을 위해 마음 쓰시는 분께 화야가 드릴 수 있는 보답이 무엇인가를 생각해 주십시오. 그것이 바로 화야 자신을 위하는 일이 될 것입니다.

무척 긴 시간 같기도 하고 또 어쩌면 너무나 짧은 시간 같기도 한 그동안 석은 당신을 위해서 무엇을 했는지 모르겠군요. 화야! 사랑하는 나의 화야! 용기를 잃지 마세요. 우린 가장 큰 재산, 젊음과 꿈을 간직하고 있지 않습니까? 하고 싶은 이야기가 너무 많아 가슴이 답답합니다. 이제 쉬어야겠소.

좋은 꿈 꾸시기를….

1968. 9. 3. 9시 30분 석.

아프지 말아요

석, 무사히 도착하셨다는 편지 반가웠습니다.

그곳에서 우리를 알고 계신 분들께 모든 이야기는 저 대신 전해 주세요.

전 그날 집에 도착하니 저녁 8시경이었습니다.

석, 덕분에 어머님과 오빠의 걱정들은 예외로 적었습니다.

사실 그날 밤부터 화야는 몹시 앓았습니다. 석이 보낼 때 마음 아파했던 것이 이렇게 되었는지 몰라요. 요즈음 병원에 다니고 있습니다. 앞으로 2~3일은 더 치료해야 한답니다. 또 열이 오르고 현기증이 나는 것 같습니다. 너무 걱정하지는 마세요. 석이 떠날 때 몸이 많이 불편했지만 참았습니다. 의사의 진단에 의한 병명은 너무 이상한 것입니다.

그럼 몸이 완쾌되는 대로 소식 전할게요. 사진 부탁드립니다.

그럼 안녕.

1968. 9. 12 화야가

길동무

사랑하는 화야!

오늘쯤은 건강해진 얼굴로 환히 웃고 있는 화야가 되어 있기를 얼마나 빌었는지 모릅니다.

오늘 회사에서 장내 검사 책상 위에 꽂혀있는 한 송이 코스모스를 보고 석은 얼마나 놀랐는지 모르시지요? 너무나 놀라운 발견이라 석은 그 코스모스를 손으로 확인해 보고 싶었습니다. 아무도 보지 않을 때 만져보고 너무나 크게 실망하고 말았습니다. 너무 생화처럼 만들어진 그 화학물질의 조화에, 문명의 발달로 인해 겪어야만 하는 인간의 정신적 피해 같은 것을 느끼기까지 했습니다.

화야! 오는 추석엔 어머님이 기다리시는 고향 집엘 다녀오기로 했습니다. 추석 전날 이곳을 떠나 추석 뒷날쯤 돌아올까 합니다. 석의 길벗이 되어 보고 싶지 않으십니까? 석이 자라난 고향도 구경할 겸, 짙어지는 가을을 즐겨보고 싶지 않으십니까? 아직 날짜가 남아 있으니 잘 생각해 보시고 가벼운 마음으로 응해 주기를 희망합니다.

당신이 석의 고향 사람들과 마주치고 싶지 않다면 그리해도 좋다는 전제하에 모든 것을 당신의 뜻에 맡기기로 하고 말입니다.

아무튼 그 전에 당신을 만날 수 있으리라 믿고 그 때 다시 의논하기로 하겠습니다. 집에서 나올 때 미리 어머니와 오빠께 다음날 쯤 집에 간다고 말씀드리면 30일 날 만날 수 있지 않겠습니까? 화야가 석의 집으로 오면 더욱 좋고 아니면 석이 온천장으로 가도 좋습니다. 어서 빨리 그 날이 왔으면 좋겠습니다. 29일은 아직도 두 주일이나 남았는데 어떻게 그 긴 날을 기다릴까요.

당신의 건강하고 밝아진 모습 볼 수 있기를 기원하겠습니다.

그럼 이 밤도 좋은 꿈꾸시길. 안녕

1968. 9. 14 석

파란펜의 방어진 이야기

사랑하는 화야!

편지를 부치려다 때를 놓치고 편지를 포켓안에 담은 채 집에 돌아오니 화야의 다정한 글이 석을 기다리고 있더군요.

반가운 생각에 봉투를 뜯고 다시 펜을 잡아 둘의 대화를 이어갑니다. 당신의 편지를 받고 무엇보다 기뻤던 것은 몸이 회복 되었다는 소식이었습니다.

화야! 제발 굽히지 않는 용기를 가져주십시오. 모든 삶의 대열에서 이탈되지 않는 방법 중의 가장 중요한 요소가 그것이라고 생각합니다. 미래에 대한 자신을 갖고 현재를 굳건하고 충실히 생활해 갈 것을 희망합니다.

방어진에 다녀온 후 며칠 뒤에 석열이를 만났습니다.

퇴근해서 돌아오니 집에 와 기다리고 있더군요. 하고 싶은 이야기도 있고 또 들려주고 싶은 많은 이야기도 있어 그날 저녁엔 석이 권해서 그를 가까운 술집으로 이끌었습니다. 어쩐지 좀 취하도록 마셔보고 싶더군요. 제법 많이 마셨습니다. 화야와 같이 방어진에 갔었다는 이야기도 했습니다.

당신이 곤란해질 수 있는 이야기는 하지 않았으니 염려 마십시오. 봉투가 두터워질까 하는 염려에 오늘은 또 이만 줄입니다.

사랑하는 나의 화야, 그럼 안녕.

※p.s 석의 입을 대신하여 속삭여 주던 까만 펜이 이 글을 쓰던 중에 끝이 났군요. 이제 다시 파란 펜이 그 임무를 이어받게 되었습니다. 앞으로 더욱더 많은 애정 바랍니다.

1968. 9. 15 파란펜 드림

사공의 노래

석에게.

싸늘한 밤공기가 초가을을 예고 하더니 기어이 보슬비가 낙엽을 재촉하는군요.

텅 빈 방에서 하루의 피로가 가시지도 않은 석과 이렇게 무언의 대화를 나누고 있어요. 일주일 간 병원문을 드나들고 나니 이제 몸이 정상화된 것 같습니다. 공연히 걱정을 끼쳐서 죄송해요. 염려 덕분에 빨리 회복되었나 봐요.

지금쯤 석은 무얼 하고 있을까?

밤도 깊어 가는데 닫힌 창문 사이로 저만큼 들려오는 빗소리가 가을의 진미보다 환하게 밝은 내일을 약속해 주는 것 같아요.

오늘 낮에는 당신과 나란히 걷던 백사장을 혼자 거닐어 봤습니다. 파도 부서지는 그 곳에서 당신이 고이 전해주고 간 그 책을 넘기면서 정녕 깊은 고독에 잠겨야 했습니다. 좋아하신다는 사공의 노래도 불렀답니다. 그래도 아직은 기운이 나지 않아요. 하지만 곧 괜찮을 거예요.

간밤에 석의 꿈을 꾸었어요. 그랬더니 사진이 든 편지가 왔더군요. 지금쯤 석은 저를 미워하고 있을 거예요. 하지만 어떻게 해야 할까요? 어찌할 바를 모르고 있는 것이 요즈음 저의 생활이에요. 차라리 멀리 떠나고 싶은 맘이랍니다.

머릿속엔 석의 그 다정한 대화만 맴돌고 있을 뿐이에요. 방어진의 바다가 그렇게 찬란하게 보였던가요? 하지만 자신을 위해서 아니 저를 위해서는 잊고 살아가세요. 먼 훗날 후회 같을 것을 하지 않기 위해서 말이에요. 아무리 생각을 해도 자신이 생기지를 않습니다.

부탁이 있어요. 석열이 오빠와 좀 더 다정하게 지내 주세요. 그렇다고 마음 무겁게는 생각지 마시구요. 아직 사진은 찾지를 못했습니다. 찾는대로 보내드리겠습니다. 그럼 안녕히 계세요.

1968. 9. 15 배꽃나무 아래서 당신의 화

서편 하늘

사랑하는 화야에게

붉은 노을이 물든 하늘을 생전 처음으로 보는 것처럼 그렇게 오늘은 해가 막 지고 난 뒤의 서편 하늘을 넋을 잃고 바라보았습니다.

이처럼 멋있고 아름다운 것이 있는 줄도 모르고 그냥 지나쳐온 시간들이 못내 억울하기까지 했답니다.

화야! 정말 그렇게 나를 화나게 하시렵니까? 왜 좀 더 제때 답신을 주지 않습니까? 지루한 일과를 마치고 총총히 집으로 돌아오는 석을 반갑게 맞이해 줄 그 무엇이 아무것도 없다는 말입니까? 무엇 때문에, 무슨 일인지도 모르게 화가 치미는 며칠이었습니다. 그런데 지금은 그 화가 약간 가시는 것 같군요. 화야의 다정한 대화를 이렇게 듣고 나니 마음이 잡히나 봅니다. 동봉한 사진을 보고 좀 더 가깝게 서 있지 못했던 것이 아쉽습니다. 그땐 당신의 벗이 바로 곁에서 쳐다보고 있으니 그럴 수밖에 없었답니다. 다음에 다시 찍을 때는 훨씬 더 다정하게 포즈를 취해야겠지요.

편지 갈피에 넣어 보낸 코스모스가 퍽 반가웠습니다. 세상의 어느

꽃다발에도 비교할 수 없을 만큼 아름다웠습니다. 당신의 편지와 함께 고이 간직하렵니다. 그리고 화야! 왜 이렇게 괴롭습니까? 화야와 석 우리가 있는 그 공간의 틈새가 이렇게 먼 거리인가요? 그리움의 정이 이토록 마음 아픈 감정인 줄은 정말 몰랐습니다. 29일 만남도 어찌될지 기약을 못하겠다구요?

내가 보고 싶지 않은 모양이군요. 이렇게 기다리고 있는데….

요즈음 과수원 일에 퍽 고단하시겠지요. 화야가 정성 들여 키워 온 그 과실들을 나도 한 번 따 보고 싶군요. 내 몫으로 먹음직스러운 것으로 잘 골라 두시기를 부탁하겠습니다. 그리고 얼마 전 신문에서 양산 '내원사' 소개문을 읽었습니다. 오는 가을에는 그곳에 한 번 다녀오도록 계획해 봅시다.

석의 마음이 흔들리지 않고 고요해지도록 단단히 붙잡아 주고 가시기를 희망합니다.

오늘은 또 이만, 편히 쉬기를 내내 안녕.

1968. 9. 24. 석

모래위에 새긴 그리움

석에게.

그동안 안녕하십니까? 보내신 글월 정말 감사합니다.

이렇게 석에게 맘을 향하고 보면 자꾸만 울어버리고 싶습니다.

모든 일이 너무 마음대로 되어주지 않는 요즈음이 저의 생활입니다.

어제는 공연히 화가 나서 조금이라도 진정시킬까 하고 바닷가에 나가봤더니, 파도가 거세게 밀려오더군요. 파도가 밀려 나가고 난 모래위에 석의 이름 석 자와 "보고 싶어라"하고 썼더니 금방 파도가 다시 돌아와 지워버렸답니다. 그래도 또 썼어요. 그랬더니 또 지워버리지 뭐예요. 그래서 그다음엔 바쁘게 써놓고선 돌아보지도 않고 뛰어와 버렸답니다.

오늘은 친우가 있는 국민학교에 놀러 갔었답니다. 마침 학교의 운동회 준비로 풍금이 비어 있었어요. 당신께서 다정히 건네 주신 가곡

집은 항상 가지고 다니기에 '내 마음', '가고파'를 아름다운 건반에 올려 봤습니다. 이런 내 모습을 꼭 석에게 보이고 싶었어요.

오랜만에 달을 보았습니다. 달이 지금 막 서쪽으로 넘어가버렸어요. 화가 났습니다. 너무 빨리 사라져버렸기 때문인가 봐요. 아마 그 달이 보기 좋게 둥글어지면 때때옷 입고 좋아하던 추석이 되겠지요. 얼마나 좋으신가요? 어머님이 기다리시는 고향으로 가시면 말이에요.

그리고 29일은 아마 친우 희자가 모임을 못하는가 봐요. 사정이 있겠지요. 지금까지 아무런 연락이 없는 걸 보아서는요. 화야는 오히려 다행으로 생각하고 있어요. 6일이 추석이니까, 아마 그다음 주일쯤이면 연락이 오리라 짐작하고 있어요. 그땐 아마 석일 만날 수 있겠지요? 많이 기대 할래요.

지금 저는 보고 싶은 사람이 있어요. 누굴까? 저와 만나기 위해서라기보다 석이 자신을 위해서 매사에 충실하세요. 그럼, 만날 날을 고대하면서 이만 펜을 놓습니다. 몸조심하세요. 안녕

1968. 9. 28 밤 이화

무지개를 놓친 소년마냥

화야에게.

당신을 싣고 떠나가 버린 그 정류장에서 한동안 무지개를 놓쳐버린 소년마냥 짙은 허무함과 서러움을 삼켜야만 했습니다. 만난다는 것과 헤어진다는 것은 항상 상대적인 것으로 순회하는 것인데 그것들이 안겨다 주는 의미와 느낌이 이렇게 다를 수가 있을까요?

아름다운 꿈속에서 선잠을 깨고 났을 때처럼 뚜렷한 것 같으면서도 희미한 기억, 꼭 그런 상태였습니다.

좀 더 일찍 귀가 했으리라 여겼었는데 늦었군요. 어머님과 오빠께서 걱정이나 하시지 않으셨는지, 아무튼 무사히 도착했다 하니 무엇보다 기쁩니다. 화야가 보내준 편지는 방금 읽었습니다. 14일 쓴 편지가 상당히 늦어서야 들어왔군요. 애타는 석의 마음을 어찌 알겠습니까? 모처럼 찾아온 화야에게 석의 맞이함이 서툴러 서운한 마음으로 돌아서지나 않았는지 걱정스럽군요. 좀 더 긴 이야기를 하고 싶었는데 만나자마자 돌아갈 길을 서두르는 바람에 하지 못한 이야기가 많은 것 같습니다. 하지만 끝내지 못한 이야기가 있다는 것이 어쩌면 더 좋을지 모르겠군요. 다음에 이어질 대화의 문이 아직 닫히지 않은 채 있으니까 말입니다.

어젯밤에 석열이가 왔더군요. 지난번의 헤어짐을 사과했습니다. 그리고 그날 오후 틀림없이 화야를 집으로 보냈다는 보고도 아울러, 화야가 미안해하더라고 전했습니다. 화야! 무엇이 그렇게 화야의 마음을 서럽게 합니까? 좀 더 용기를 가지고 적극적으로, 의욕 있게 생활해 주기를 바랍니다. 우리에겐 젊음이라는 재산과 내일의 희망이 있지 않습니까. 젊음이 있고 내일의 꿈이 있고 아름다운 사랑이 있으니 이보다 더 큰 재산이 어디에 또 있겠습니까. 현실에 대한 부조리와 불만, 회의 같은 것은 가볍게 받아주고 오직 내일의 보람된 삶을 위하여 석은, 오늘 또 하루 충실히 근무를 했습니다. 내일도 또 모레도 만나는 그날까지 이렇게 착실히 생활 할 것입니다. 화야도 보다 즐거운 마음으로 그날을 기다리며 살아 주기를 바랍니다. 만나는 그 순간이 더욱 다정하도록 같이 노력합시다. 변화하는 날씨에 몸조심하시길 빌며 내내 안녕.

1968. 10. 18 석으로부터

닿지 못한 편지

화야에게.

저만큼 한 걸음 더 물러선 파란 하늘을 이고 나뭇잎이 지는군요. 꼭 오시리라 기다리던 귀한 손님이 오자마자 이내 떠나가 버리는 것처럼이나 허무하고 섭섭한 가을의 동반자, 낙엽 입니다.

잔뜩 화가 나서 토라진 화야의 모습을 상상만 해도 정말 웃음이 터지려하는군요. 하지만 분명히 전하겠습니다. 화야가 14일 써서 15일에 부쳤다는 그 편지는 우표에 17일 발송인이 찍혀 18일에 틀림없이 받았습니다. 화야의 편지를 읽은 후 이내 답장을 썼고 다음 날인 19일에 우체통에 넣었습니다.

어쩌면 그 편지가 어디에선가 늦장을 부리다가 지금쯤 이미 화야의 손에 쥐어졌는지 모르겠군요. 아직 받지 못했다면 한 번 그 행방을 찾아봐 주기 바랍니다. 그래서 꼭 사과를 받고 싶습니다. 정말 이건 너무 억울한데요. 남의 속도 모르고. 석인 약속하기를 꺼리지만 일단 한 번 약속한 것은 꼭 지키고 있습니다. 화야를 떠나보낼 때 화야의 편지를 먼저 받고 답장하겠다고 약속했습니다. 그리고 그 약속은 분명히 지켰습니다.

이 편지 받는 즉시 지난번 석이 보낸 편지를 정말 이제껏 받지 못했는지를 알려 주기 바랍니다. 석이 거짓말을 한다고 인정하시거든 화야가 말 한대로 편지도 하지 말고, 만나자고 하지 않아도 좋습니다. 그렇지 않고 석의 진실을 진실 그대로 받아들이고 다행히 그 편지를 받았거든 사과해주십시오. 아무런 회답 없으면 석의 말을 믿지 않는다고 보고 11월 3일의 약속을 석이도 일단 취소하겠습니다.

믿을 수 없는 사람들 사이에 사랑이란 존재 할 수 없는 것 아니겠습니까? 사랑은 오직 믿음과 존경에서 우러난다고 믿고 있으니까요. 석인 자신을 속여 가면서까지 향락을 위한 유희 같은 것에 말려들 만큼 정신적으로나 물질적으로 그렇게 한가하지를 않습니다. 이야기가 너무 심각해졌군요. 약간 흥분 했는가 봅니다. 하지만 나의 판단이 흐려져서 사리를 구분할 수 없을 정도는 아니니까요. 아무튼 먼저 보낸 편지를 찾아봐 주기를 바라겠습니다. 화야가 토라진 만큼 석이 더 많이 화가 났는지도 모릅니다. 내일의 지장 없는 활동을 위해 쉬어야겠습니다. 안녕.

1968. 10. 23 석

낙엽진 과수원

석에게

지금 밖에는 낙엽 뒹구는 소리만이 문틈으로 새어들어 오고 있어요. 쪽박이 된 달이 한층 더 고독하게 밤을 에워싸고 있습니다.

쌀쌀한 날씨에 그동안 별고 없으신지요?

저는 덕분에 이렇게 건강하게 석을 향해서 백지를 메워가고 있습니다. 가을에 접어들어 추수는 이제 거의 다 되어가고 있습니다. 배도 오늘로써 다 따 놓았어요. 내일부터는 손질해서 저장실에 넣는 일이 계속될 거예요. 이렇게 바쁜 일과가 계속되고 보니 그저 집에서 투덜거리는 좋지 못한 버릇이 생겼답니다. 요즈음 같아선 멀리 석과 함께 여행이라도 떠나고 싶은 솔직한 마음입니다.

이제 우리 과수원에도 낙엽이 지기 시작하는 걸 보아선 분명 가을은 자꾸 멀어져 가고 있는 것 같아요. 석의 답장 기다리다 성미 급하게 토라진 글을 보냈는데 분명 받아 보셨겠지요? 그 이튿날 편지를 받고는 좀 부끄러운 생각이 들었어요. 화야를 바보라고 하시겠지요. 금방 편지를 하리라 생각은 했습니다만.

종일 기계의 소음에 시달리고 있는 석을 무엇으로 위로할 수 있을까 하고 고민했었습니다. 꼭 낙엽이 지기 전에 우리 함께 산으로 가기로 해요. 네?

헤어져 돌아오는 그곳에서 약속했던 다음의 만남, 그 약속은 헛되게 하지 말아요.

이제 얼마 남지 않은 오늘은 어쩐지 자꾸만 지루해지니 도무지 어떻게 해야 할까요. 석! 미안하지만 시간을 변경해야겠어요. 부산에서 오시는 석의 시간 조절에 착오가 있을까 봐 이렇게 정했습니다. 꼭 오셔야 합니다. 또 기다리게 하지 마시고요.

그럼 차가운 날씨에 몸조심하세요.

1968. 10. 30 깊어가는 가을밤에 화야가 드립니다.

수채화 같은 석남사

화야에게.

마치 서양 수채화를 연상케 하는 산을 배경으로 한 석남사 계곡의 맑은 물소리가 아직도 귓가에 맴돌고 있군요.

부산행 마이크로버스 속에서 석은 도착할 때까지 내내 잠속에 빠져 들었습니다. 마음과 몸이 상당한 피로감을 느껴야 했습니다.

화야! 무사히 집에 잘 도착했는지? 어머님과 오빠께 꾸중이라도 듣지 않았는지 걱정스럽군요.

막둥이 동생을 데리고 어머님이 석이보다 조금 먼저 오셨더군요. 아들을 위해 먹을 것을 많이 가지고 오셨습니다. 화야가 같이 있다면 함께 맛있게 먹었을 터인데.

어머님 이마의 주름이 좀 더 깊어지신 것 같아 죄스러움을 느끼게 합니다. 어머님을 마주하고 앉으니 석이 그동안 어머님을 위해 과연 무엇을 했는지 모르겠군요.

아버님의 제사 일로 이곳 고모님과 석에게 의논할 일이 있어 오셨답니다. 석의 결혼 문제는 아버님 제사가 끝난 뒤에 이야기하자고 하시는 어머님께 구경도 할 겸 방어진에 한 번 가보시지 않겠느냐고 했더니 이번엔 바쁘게 오셨다고 다음 기회로 미루자고 하십니다. 사양하시는 어머님의 마음을 이해할 수 있을 것 같아 더는 권할 수가 없었습니다. 모처럼 오신 어머님과 앞으로의 일들을 이야기하다 보니 밤이 꽤 깊었군요.

피로와 함께 잠에 젖어 옵니다.

어머님께서는 7일 고향으로 가십니다.

다음 다시 편지하기로 하고 오늘은 이만 줄입니다.

1968. 11. 4 석

3부
석축에 핀 꽃

김병석(金炳錫) 시인

전남 광양 출생
문학예술 신인상 수상

밤의 숙성

하늘에서
내리는 비는
다만
어둠일 뿐

지표를 뚫고 자라나는
죽순처럼
비를 맞으며 밤이 자란다.
어둠이
여무는 것이다.

밤은
안개처럼
빗물처럼
골짜기로 부터
차곡
차곡
쌓여 가는 것

가을밤의 신비

별이 빛나는
하늘 아래
시침이
쉬어도 좋은 시간

끝없이 멀게만
이어져 가는
파도 소리에
놀란 듯
또
한 잎
꿈이 지면

바람 없는 호수에
새겨지는 파문처럼
가슴에 새겨지는
이 한 순간

간절히도 돌아가고 싶은,
그러면서도
한 발자국도 돌아설 수 없는

이 시간의 신비 속
이대로
시침이 죽어가도 좋은 시간

마음의 강

하늘이 흐른다.
구름이 간다.
못 잊을 미련에
마음도 따라
흐른다.

구름이 흐르고
하늘은 푸르러도
내 마음 흐르면
못 잊을 그리움도
짙어 간다.

구름이 흐른다.
내 마음이
흘러간다.

고민도 번뇌,
슬픔은
떨쳐 버리고

곱디 고운 봉오리
꽃처럼
산 너머 멀리
구름이
흐르고
마음이 흐른다.

역류

종일
소리 없이 내리는 비
이런 날엔
나는 또 어쩌지 못할
고아같은 나그네.

차라리
터지는 회성回省
튀는 섬광이 있었으면…

질펀한 황토물 깔린 길바닥 위
쓰다 버린
비닐우산 같은
남루한 나

한 번쯤
땅에서 하늘을 향해
분수처럼 그렇게
비라도 내리면
좋으련만

별의 생리

하늘이 너무
넓어
별은 외롭다.

한 번 헤어진 그 날부터
다시 만날 수 없다는
숙명을 지녔기에
별은
더
더욱 외롭다.

하늘이 너무
높아
별은 서럽다.

영원히
찾아갈 수 없는
하늘은 높아
별은
더
더욱 서럽다.

첫사랑

내가 처음
너를
보았을 때.
너는 코흘리개 귀여운
계집애.

내가
처음 너에게
사랑을 보았을 때
너는 아직
단발머리
철없는 여학생

복숭아 씨앗만큼
너의
젖가슴이 돋았을 때
너는
비로소
수줍음 속에

나의
사랑을 알았으리라.

그리고 너와 나 사이에
얼마나 먼 공간과
긴
시간이 흘렀더냐.

노오란 솜털 같던
코 밑 수염이
검게 거칠어진
오늘.

아마
너는
꼭 나를 닮고 싶었던
귀여운
애기
엄마 되었겠지.

석축에 핀 꽃

무심한 듯
버려진
허나 결코
그것은 아니었다.

곡선을 불허하는
그것은
처음부터
혼자가 아닌
세모
네모

검은빛도 아닌
그렇다고 흰빛도 아닌
돌멩이라기보다는
그저 작은 바위의 분신

시멘트로 연결된
그 높다란
절벽 위

약품 광고 문구가 붙은
하얀
시트커버
특급 열차이기보다
차라리
야간 완행 열차
삼등 칸

작은 꽃
그곳에
피었구나.

봄을 보내며

바람 따라
그리운 사람 떠나가듯
그렇게
꽃잎 같은
봄이
바람 따라 가누나.

한 잎,
두 잎,
하얀 꽃잎
바람 따라 가누나.

기다리던 사람
아쉬움만 남기고
그렇게
또
봄이
꽃잎 따라가누나.

로터리 교차로의
길 잃은 머슴애는
스무일곱 번의
연륜을 헤아리며

회전목마처럼
돌아가는
시간의 네거리에서

또
그렇게
봄을 보내누나.

언약

나
언제나
고향을 떠날 때면
빨간 옷고름에
눈물 얼룩지던
내 소녀야

긴
머리채
빨간 댕기 끝자락
흐려 뵈던 그때

하늘을 향하던
우리 무언의 대화

함께
먼
그때를 기다리자.

새벽

시간의 흐름이
소리로 변화하는
새벽.
태양을 그리는
빛을 갈망하는
눈망울들이
멀리
그리고 가깝게
환한 분포도를 그린다.

시간의 흐름이
다만
동녘 하늘의 밝기로 변화하는
새벽
생각의 그리움이
밤을 지새우게 하는
무시도 스러지지 않는
하나의
그리운 별이 있다

비는 오는데

비는 오는데
수녀의 슬픈 눈물 같은
엷은 안개 속으로
속살거리며
비는 오는데

너를 향한
약한 노크처럼
창가에 부서지며
비는 오는데

애틋한 이별의
슬픔을 고하던 그때처럼
눈시울에 방울지며
비는 오는데

태양을 동경하느니
차라리
쏟아지는 빗속으로
동화되고 싶은 심사

비는 오는데
비는 오는데.

4부
일기로 전하는 편지

– 炳錫

1970년대...당시 편지를 포함한 우편물들의 왕래는 원시적이기 그지없었다. 제 날짜에 도착이 어려운건 물론이거니와 가끔 분실 되는 경우도 있었다.

매사 언행의 처신이 분명하고 정확했던 그이가 한 번은 크고 작은 노트 두 권을 들고 왔었다. 편지를 기다리다 지쳐 애가 타고 그러다 더러는 오해 아닌 오해도 생길 수 있는 현실이니 오늘부터는 각자 이 노트에 편지를 쓰고 다음에 만날 때 서로 교환하자는 제안이었다.

영원히 머무르고 싶은 순간

이처럼 지루한 기다림을 느껴 본 것도 처음입니다. 또 이처럼 가슴 벅찬 기다림을 새겨 본 것도 처음입니다.

어둡고 답답한 긴 동면에서 봄을 피부로 느끼고 피어나던 그 배꽃만큼이나 석의 기다림도 찬란한 것이었나 봅니다. 하얀 배꽃이 만발했다는 화야의 소식도, 그 배꽃이 하염없이 지고 있다던 방어진 소식도, 복숭아가 한창이라던 과수원의 그 소식도 모두 석에겐 화야를 보고 싶다는 일념 그 하나에 귀결되었던 것입니다. 바다의 참 멋을 모르고 날뛰는 그 무뢰한들이 뿔뿔이 흩어지고 화야의 정성이 담긴 그 배나무의 결실이 영그는 이 계절에 석이 화야와 함께 방어진의 바닷가에 설 수 있었다는 사실은 너무나 당연한 종결이 아니겠습니까?

화야! 우리의 사랑을 이루어준 그 모든 것들이 다 그랬듯이 우리 둘 사랑도 그처럼 아름답습니다. 울산을 거쳐 연안까지의 버스 여행이 어쩌면 그토록 즐거울 수 있었겠습니까? 시원스레 펼쳐진 그 아스팔

트 가도 위의 달림이 그랬고, 차창 밖으로 스러져가던 그 가로수가 늘어선 시골 신작로 길이 또 그랬었습니다. 그때 석은 며칠 째 계속된 수면 부족에 무척이나 피곤해 있었습니다만 화야와 같이 어깨를 나란히 하고 한 길을 가고 있다는 사실에 그저 즐겁고 황홀하기만 했었습니다. 화야의 벗들 앞에 가기가 무척 망설여지기도 했습니다만 티없는 화야의 그 권유 앞에서 석은 도저히 거절할 수가 없었습니다. 그리고 그러기를 잘했었다고 느끼게 되었습니다. 모두 화야를 이해하고 같이 즐거워하는 벗들이라고 생각하니 한층 깊은 친밀감도 가질 수 있었습니다. 화야와 같이 있는 곳이기에 아주 먼 옛날에 살았던 고향에라도 찾아와 있는 것 같은 느낌으로 그간 알 수 없었던 마음의 벽이 무너져 버린 곳이기도 했습니다.

풍성하게 푸르른 녹음에 쌓인 그 길이 무척 인상적이더군요. 아카시아 향이 가슴 속에 배어 왔습니다. 울산에서 화야와 나란히 방어진 행 버스에 앉았을 때 또 한 번 석의 가슴은 설명할 수 없는 기대와 즐거움에 한없이 부풀었습니다. 차츰 방어진이 가까워지는 시간이 다가왔을 때 석은 서서히 초조함을 느꼈습니다. 머지않아 펼쳐질 그 꿈의 결정을 어떻게 감당할 수 있을까 하는 그런 염려 때문이었겠지요. 그렇지만 생소한 곳을 찾아갈 때마다 느껴야만 했던 그런 불안 같은 것은 조금도 느낄 수가 없었습니다. 석의 곁에 화야가 같이 있다는 그 사실이 석으로 하여금 어쩌면 그토록 자랑스럽게 했는지 모르겠습니다.

방어진에 도착하여 방을 정하고 간단한 여장을 풀었을 때 비로소 석은 마음 편히 모든 것을 벗어나서 쉴 수 있는 나만의 에덴동산 같은 곳에 왔음을 느꼈습니다. 바다를 향한 석의 마음처럼 수평선을 향해 뻗어나간 그 방파제의 밤이 어쩌면 그렇게도 석의 마음을 붙잡아 버릴 수 있었을까요? 바위틈 사이로 들고 나는 바닷물 소리가 그대로 장엄한 한 곡의 심포니 같았습니다. 달빛을 받아 아스라이 펼쳐진 바다를 배경으로 한 그 심포니가 어느덧 화야의 고운 노래를 동반했습니다. 이 시간에도 방어진항의 그 방파제엔 바닷물이 하얗게 밀려와 부서지고 있겠지요. 화야의 그 아름다운 노래도 같이 공중에 맴돌고 있을 것입니다.

그 시간의 환희와 가슴 벅참을 무엇이라고 말 할 수 있겠습니까? 석은 꼭, 기나긴 기다림 뒤에 맞은 찬란한 그 밤을 화야와 오롯이 새워보고 싶었습니다만 석이 혼자만의 욕심에 찬 생각이었겠지요. 역시 화야의 결정이 정확했음을 알았습니다. 그래서 그 다음 날보다 더 환히 트인 바다를 향해 우리의 미래 같은 것을 이야기할 수 있었으니까요. 아름드리 송림이 들어찬 그 등대를 향한 길을 화야와 함께 했던 순간을 석은 영원히 잊지 못할 것입니다. 바위와 바위로 이어진 그 해변에서의 벅찬 감정이 어떤 것이었는지를 아무도 모를 것입니다. 서투른 석의 표현으로 꼭 이야기한다면 그냥 그대로 죽어도 좋은 그런 심정이었습니다.

화야! 그대는 석에게 아주 소중하고 귀한 것을 가르쳐 주었습니다. 파랗고 긴 그 수평선을 대하는 석의 가슴이 그처럼 애틋이 터질 것만 같았던 이유는 무엇일까요? 화야의 가슴속 깊이 자리하고 있는 그 소라 언덕이 석은 좋았습니다. 화야가 처음 석에게 소라 언덕 이야기를 전했을 때부터 석의 꿈도 어느덧 그 소라 언덕에 뿌리를 심었던 것입니다. 태양이 찬란히 빛나는 소라 언덕을 가보고 오지 못한 것이 못내 섭섭합니다만 석은 다시 있을 내일의 기다림에 희망을 걸고 마음을 달랬습니다. 달빛 아래 밀려들고 밀려가는 바다를 바로 곁에 끼고 나란히 거닐던 모래사장. 티없이 즐거워하던 화야의 그 모습이 한없이 사랑스러웠습니다.

바다가 밀려든 지점 바로 그곳에서 세상이 멈추어도 좋다고 생각했습니다. 달빛이 번지는 그 시간, 바로 그 순간에서 영원으로 통하도록 시침이 멈추어도 좋다고 생각했습니다.

화야! '영원히 머무르고 싶은 순간' 그것이 있다면 바로 이런 때를 말하는 것이 아니었겠습니까? 그 벅찬 감격, 그 찬란한 기쁨, 그 가슴 뛰는 희망, 이것들을 어찌 석이 혼자 이 작은 가슴속에 담을 수 있을까요. 한없이 푸르고 넓은 바다, 그것은 온통 석의 가슴속으로 밀려들 것처럼 터질 듯 감당하기 어려운 환희였습니다.

베갯머리에 살며시 웅크리고 앉은 풀벌레 울음소리에서도 그 고운 화야의 노랫소리가 들려올 것만 같은 계절입니다. 눈을 감으면 젖은 솜처럼 스며드는 피로감보다 먼저 화야의 그 환한 미소 띤 모습이 떠오르는 것은 또 무엇 때문일까요? 손가락을 깨물겠다던 화야가 그땐 왜 그렇게 얄미웠는지… 하지만 화야의 그 생각이 옳았습니다. 그래서 석은 화야가 훨씬 더 사랑스러워졌는지도 모르겠습니다. 그래서 방어진을 뒤로하고 화야와 나란히 울산행 버스에 앉았을 때 석의 마음이 좀 더 자랑스러울 수 있었다고 봅니다.

부산을 떠나 울산행 급행 버스를 탔을 그때부터 혼자 돌아와야 하는 그 길을 어떻게 올 수 있을까 하고 걱정하던 일이 너무나 빨리 찾아온 것만 같아 삼일 간 화야와의 지냄이 도저히 실감이 나지 않는 먼 꿈속의 일처럼 아스라이 느껴졌습니다. 얼마나 다시 또 그 긴 기다림을 해야 하는가를 생각하니 불안한 생각에 마음을 걷잡을 수가 없었습니다. 방어진의 그 바다가 멀어질 때도 화야가 같이 있어 주었기 때문에 석은 그렇게 초조와 불안을 느끼지 않아도 좋았습니다. 차창 밖에서 손을 들어 흔들던 화야의 모습이 석의 시야에서 벗어났을 때, 석이 고개를 돌려 뒤를 보아도 이미 화야의 모습이 보이지 않았을 때, 그때부터 석도 눈을 감고 시트 깊숙이 묻혔습니다. 석의 시야, 아니 석의 동공에서 화야의 영상을 떠올리고픈 노력이었습니다.

울산에서 부산까지 한 시간 여 달리는 그 급행 버스도 석의 마음을 쉽게 부산으로 실어다 주지는 못했습니다.

화야! 화야에게 오롯이 남기고 온 석의 마음을 제발 곱게 간직해 주십시오. 석에게 단 하나뿐인 귀한 마음입니다. 석의 단 하나, 그 귀한 마음을 방어진 바닷가 화야에게 두고 오면서도 석의 마음은 왜 이처럼 흐뭇하기만 할까요. 사랑이라는 말보다 더 멋이 있고 더 고귀한 말을 왜 사람들은 만들지 못했을까요?

화야! 화야가 고이 간직했다가 석에게 안겨준 그 바다 선물들이 석에겐 마치 방어진의 바다를 그대로 오롯이 받은 것만큼이나 귀한 것들이었습니다. 짧은 기간 화야와의 시간을 좀 더 오래 실감 나게 기억하고 싶은 욕심에 산호가 싸인 그 까만 보자기를 만져 보고는 다시 싸서 제자리에 놓아두기를 벌써 몇 번 째인지 셀 수가 없습니다. 화야! 사랑합니다. 영원히 석의 생명이 다하는 날까지.

짧은 25시

푸름 잃은 나뭇잎이 하나 둘 보도위에 뒹굴면 석은 또 얼마나 많은 시간 혼자 헤매어야 할 것인가를 생각해 봅니다.

사랑하는 화야! 가을이 짙어 간다는 것이 어쩌면 이토록 석을 걷잡을 수 없는 마음의 동요 속으로 몰아넣는 것일까요. 또 하루, 오늘도 화야의 그리움 속에서 보냈습니다. 화야를 향해 이야기할 수 있는 이 짧은 25시를 위해 석은 지루한 12시간을 자욱한 나무 먼지 속에서도 용케 참을 수 있었습니다.

화야! 요즈음은 배나무에 매달린 결실의 마지막 손질을 하느라고 바쁘겠군요. 항상 화야를 생각하며 화야와 같이 바다를 호흡하며 살아가는 석이 있다는 것을 기억해 주십시오. 석이 혼자 바라보기에는 너무나 아름답고 밝은 달입니다. 자꾸만 방어진 밤바다의 그 달빛이 연상되어 잠을 이룰 수가 없습니다. 석의 마음을 이토록 강하게 붙들어 맬 수 있는 것은 무엇이겠습니까? 터질듯 갑갑한 이 가슴을 활짝 열어 화야에게 보여 주고 싶군요.

화야를 생각하며 잠이 들고 또 화야의 생각에 깜짝 놀라 잠이 깨입니다. 언제부터인가 석의 생활에서 가장 견디기 어려운 것은 화야에 대한 그리움이 밀려드는 순간, 그것은 잠에서 깨어나는 시간 바로 그때입니다. 꼭 곁에 있어야 할 무엇이 없어져 버린 허전함 때문에 괴롭기 조차한 그 심정을 무엇에 비할 수 있겠습니까.

화야! 이 밤에도 방어진의 그 바다엔 밝은 달빛 아래 파도가 밀려들고 있겠군요. 가만히 눈을 감으면 철썩이는 그 바닷물 소리가 바로 귓가에서 들리는 듯합니다. 화야와 같이 손을 잡고 산을 찾을 수 있는 때가 어서 빨리 왔으면 좋겠습니다. 빨간 단풍이 산자락을 불태우는 그 가을이 빨리 짙어졌으면 좋겠습니다.

화야와 석의 보람차고 행복한 내일을 위해서 이제 잠을 청해 보렵니다.

혼자 앉아서

밖에는 지금 가을을 재촉하는 비가 촉촉이 내리고 있습니다. 아침에 출근할 때 비가 오리라는 것을 예견하지 못했기에 퇴근길엔 비를 맞고 걸을 수 있었습니다.

학창 시절 그렇게도 이유 없이 비가 내리는 날을 좋아했었기에 지금도 비가 오는 날이 싫지 않습니다. 술을 적당히 마신 뒤의 느낌처럼 감정이 아무런 구애 없이 순수해질 수 있어 석은 이렇듯 비 오는 날을 좋아하는지 모릅니다. 어쩌면 비가 오는 날은 더 깊은 마음의 괴로움이 밀려들지도 모르겠습니다.

'가만히 오는 비가 낙수져서 소리하니
오마지 않는 이가 일도 없이 기다려져
열린 듯 닫힌 문으로 눈이 자주 가드라'

육당 최남선의 '혼자 앉아서' 라는 시가 떠오르는군요.

이렇게 비가 내리는 밤엔 꼭 화야가 석의 곁에 있어 주어야만 할 것 같은 욕심입니다. 평소에 하지 못했던 더 많은 이야기를 할 수 있을 것 같습니다. 화야! 석이 꼭 하고 싶어 하는 이야기들이 어떤 것인지 궁금하지 않습니까? 어쩌면 너무 한가한, 너무 시시한 이야기라도 모두 다 화야가 들어주어야 하겠습니다. 그래서 석은 무지한 욕심쟁이인지도 모릅니다.

화야! 화야와 석이 위치한 그 얼마 되지 않는 공간의 거리가 이토록 멀게 느껴집니까? 지금 화야가 쉬고 있는 방어진 그곳에도 비가 내리고 있겠지요. 화야! 석과 같이 저 빗속을 거닐어 보고 싶지 않습니까? 우산은 없어도 좋습니다만 꼭 있어야 한다면 폭이 좁은 것으로 하나만 있으면 좋겠지요. 석의 곁에 아주 가까이 다가선 화야의 어깨를 꼭 껴안고 한없이 비를 맞으며 세상의, 아니 이 우주의 끝을 향해 거닐어 보고 싶습니다. 우리들의 그 소라 언덕이 비를 맞고 있겠군요. 사랑의 속삭임을 빗속에 띄워 보냅니다.

그리운 방어진

사랑하는 화야!

화야와 함께 나란히 울산행 버스를 타고 부푼 가슴을 안고 방어진을 향해 길을 떠나던 날이 벌써 보름이나 흘러갔군요. 그동안 하루도, 아니 한 시간도 화야를 생각하지 않았던 시간이 없었습니다.

예전엔 미처 느끼지 못했던 견디기 어려운 시간이었습니다. 자욱이 먼지 낀 공장 안에서 짙은 나무 냄새와 함께 돌아가는 기계음들의 소음 속에서도 먼 미래의 꿈을 잃지 않고 석에게 맡겨진 하나의 임무에 충실할 수 있는 것은 이 모든 것들이 그만큼 석의 삶에 보탬이 되고, 사회생활 속의 한 단위 분자로서 같이 생활하는 가능성을 보여 주기 때문일 것입니다.

화야! 몇 번이고 불러보고 싶은 사랑하는 나의 화야! 석의 귓가에 맴도는 그 아름다운 화야의 목소리로 하여 석의 마음은 얼마나 여물게 살이 오르는지 모릅니다. 그것이 다만 마음 뿐은 아닌가봅니다. 요즘 석을 대하는 주위 사람들 모두에게 석의 얼굴이 좋아졌다는 악의 없는 놀림을 받고 있으니까요. 석은 분명 이 모든 것들에 특별한 희망을 갖고 기다리고 있으니 당연히 그러하리라고 자인하기까지 합니다.

화야와 손을 잡고 거닐던 그 방파제의 밤과 우리의 속삭임이 한 덩어리로 영글던 그 등대의 바닷가를 어찌 잊을 수 있겠습니까? 화야 만을 위하여, 꼭 석이만을 위하여 그 수평선은 그렇게 파랗고 길게 뻗어져 갔으며, 화야와 석이만을 위해 그 바다는 파도의 노래를 들려주었습니다. 세월이 흘러가고 또 먼 훗날 그때도 그 바다는 변함없이 우리 둘을 맞아 주겠지요. 화야, 혹 살다가 괴롭고 어려워질 때 우리 같이 그 바다를 생각하며 용기와 희망을 찾읍시다. 화야가 없는 방어진의 바다, 그것은 생각할 수도 없는 일이며 또 절대로 그럴 수가 없는 것이라고 단언합니다.

화야를 먼저 방어진 행 버스에 태워 보내주고 왔어야 했었는데 하는 후회가 오래도록 석의 마음을 무겁게 했습니다. 무거운 몸으로 석을 즐겁게 해주기 위해 여러 가지로 겹친 피로에도 무리하며 석을 버스에 실어 보내고 돌아서던 그 마음의 아픔이 기어이 화야를 자리에 눕게 하고 말았나 보군요. 몸이 아프다는 화야의 소식을 받고 석은 얼마나 당황하고 초조와 후회 속에 갈피를 잡지 못했는지 모릅니다. 자리에 누워 석을 무척 미워했을 화야를 생각했습니다. 원망도 하고 후회도 했겠지요. 석이 다 달게 받겠습니다. 석은 화야의 몸이 한시라도 빨리 완쾌해 달라고 얼마나 간절히 빌었는지 모릅니다. 화야를 위해 걱정해 주시는 어머님과 식구들에게 석이 무엇이라도 감사를 드리고 또 빌어야 하겠습니까? 몸이 좋아졌다는 그 뒤의 소식을 받고 반가운 한편 공연히 석이 걱정할까봐 화야가 거짓말을 하는게 아닌가 하고 믿어지지 않는 마음이 들기도 했습니다.

사랑하는 화야! 밤이 깊어 가는군요. 아니 가을이 깊어 가는 것일까요? 아니겠지요. 다만 우리의 사랑이 깊어 가고 있을 뿐입니다. 석과 같이 거닐던 그 백사장엘 갔었다고요? 그 곳엔 화야 혼자만이 결코 아니었을 것입니다. 화야의 곁엔 항상 석이 있다고 생각해 주십시오. 화야의 그 속삭임도 그리고 화야의 그 고운 노랫소리도 모두 다 석이 가까이에서 듣고 있다고 생각해 주십시오. 석이 곁에 꼭 화야가 같이 있듯이 화야의 곁엔 석이 떠나지 않고 있는 것입니다. 밀려드는 그 맑고 고운 파도가 보고 싶습니다.

자꾸만 푸르게 높아져 가는 저 하늘을 어떻게 할까요? 지금쯤 이름 없는 작은 간이역 철로에서는 코스모스 몇 송이가 바람에 하늘대며 가을 길손의 마음을 적셔주겠군요. 화야의 마음을 심어둔 그 소라 언덕엔 들국화 한 송이가 피고 있으리라 생각해 봅니다. 역시 코스모스와 국화는 감상의 계절 가을에 꼭 어울리는 그런 꽃이지요. 가을에 피어나는 꽃이라서가 아니라 그 꽃자리에서 풍겨나는 서글픈 분위기와 처량한 자태가 정녕 이른 봄부터 그 무더움과 폭풍우 치는 여름을 보내며 다른 꽃들이 다 지고 난 다음에 피게 하는 인내와 기다림의 상징

이지 않습니까? 달리는 차창밖으로 스쳐 지나가는 코스모스를 보며 어디론지 떠나고 싶은 마음, 들국화 무리가 간간히 반겨주는 호젓한 산길을 낙엽을 밟으며 한없이 걸어 보고 싶은 그런 마음, 가을이면 간절하게 석을 유혹합니다.

화야! 오늘 또 하루를 무사히 그리고 충실히 보내고 적당히 젖어 드는 피로 속에 조용히 이 시간 또 변함없는 마음으로 화야를 향하여 이야기할 수 있게 해 준 우리의 신께 감사를 드려야 하겠습니다. 화야! 당신은 오늘 무엇을 하며 이 시간을 기다렸습니까? 배나무 가지마다 자랑스럽게 영근 그 결실이 탐스럽겠군요. 꽃이 피기 전부터 알뜰히 손질해 오던 화야의 눈에 비친 그 결실은 더욱더 사랑스럽고 흐뭇하겠지요. 어디를 향하여 떠나는 열차인지 아니면 어디서부터 달려와 이곳에 온 것인지 알 수 없는 그 열차의 기적소리가 농도 짙은 바다공기를 타고와 석의 베갯머리에 부딪히는군요.

화야! 우리도 이 밤, 서로의 꿈을 안고 먼 곳으로 길을 떠나 봅시다. 코스모스가 눈짓하는 간이역들을 지나 세상의 끝이라도 좋으니 가을이 오는 곳을 향해 같이 떠납시다.

기다리는 마음

계절의 변화가 인간에게 가져다주는 것이 무엇인지를 생각해 보고 싶어졌습니다. 무한한 영겁의 세월을 그렇게 흘러왔듯이 또 그렇게 영원을 향해 신비스럽기까지 한 자연은 흘러가겠지요.

이처럼 시작과 끝을 짐작할 수 없는 긴 세월 중에서 한 인간이 살았다고 하는 그 일생은 얼마만한 간격을 차지하게 되는 것일까요? 너무나 보잘것없이 짧은, 살았다고 할 수 조차 없는 그 시간들을 어떻게 살아야 보다 후회 없이 보람 있게 지낼 수 있겠습니까? 너무 평범한 이야기인 것 같으면서도 너무나 어려운 이야기겠지요. 아직은 우리 둘 너무 젊었기에 이러한 것들을 마음 무겁게 생각할 필요는 없습니다. 다만 우리에게 주어진 한정된 그 시간을 우리가 품은 꿈대로 최대한 실현해 보고자 하는 노력이 필요할 뿐입니다.

화야! 외로움과 그리움을 아는 인간은 결코 슬픈 인간이 아닙니다. 이 얼마나 멋있는 인간의 마음입니까? 꼭 누구라고 한정 짓지 않는 그 어떤 사람이 찾아올 것만 같은 그런 마음, 가로수가 늘어선 신작로 길만 바라보아도 어디든지 떠나가 보고 싶은 마음, 역시 가을에만 느껴볼 수 있는 소중한 감정인 것입니다. 화야! 찬란한 이 계절에 우리의 사랑을 아름답게 숙성시켜 봅시다. 결코 후회하지 않을, 누구도 감히 흉내 낼 수 없는 멋진 사랑을 해보지 않으렵니까? 낙엽이 지면 그 낙엽은 부토가 되어 다시 새싹을 키워 주겠지요.

통근차 차창 밖으로 지나치던 유엔 묘지의 그 코스모스 물결이 자꾸만 석의 마음을 흔들어 놓는군요. 어제는 퇴근길에 같이 일하는 친구의 청으로 그의 집을 방문했었습니다. 얼마 전에 결혼한 부부 단둘이 사는 작은 셋방이었습니다. 잘 정리된 가구들이며 장식들이 풍겨주는 분위기가 온화하고 다정하면서도 석에겐 아주 먼 거리에 있는 생소한 것처럼 느껴지니 무엇 때문일까요? 저녁 식사 대접을 받고 다과에 술도 약간 마셨습니다. 열 시가 넘어 집으로 돌아오는 합승 택시 속에서 그들 신혼부부의 생활을 혼자 상상해 보았습니다. 퍽 행복하리라, 하여 그들의 꿈이 온통 영글고 있을 그 사랑의 보금자리가 부러워지기까지 했습니다.

화야! 화야는 아직 이런 감정을 느껴보시지 않으셨는지요. 석은 꼭 그보다 더 멋있게 우리의 사랑과 꿈의 보금자리를 마련해 보고 싶어졌습니다. 용기가 없다고요? 아닙니다. 자신 있습니다. 세상 제 아무리 큰 위력도 절대 침범할 수 없는 아주 높고 튼튼한 성을 쌓으렵니다. 다만, 우리들만의 사랑을 위해서….

지금쯤 방어진 바닷가엔 밤바람이 제법 차겠군요. 화야의 과수원

과실도 한창 맛이 들었겠지요. 소라 언덕을 향한 그 좁은 오솔길 가엔 나뭇잎들이 푸른 기운을 잃고 가을이 익어가고 있겠지요.

또 하루를 보내는 이 시간 화야는 무엇을 하고 있습니까?
석에게 들려줄 사랑의 얘기를 생각하고 있습니까?
아니면 석에게 안겨준 그 바다 선물의 뒤 소식을 준비하십니까?
사랑하는 나의 화야! 왜 좀 더 용기를 내지 못합니까? 석에게 더 크고 깊은 꿈과 희망을 안겨주지 못하십니까? 무엇을 주저하고 무엇을 두려워하십니까?
파란 하늘이 자꾸만 멀어져가는군요.
하늘이 저토록 높아지기에 향기 짙은 국화꽃이 애처롭나 봅니다.
밤이 너무 깊었습니다.
이제 또 먼 꿈의 길을 떠나렵니다.

나란히 찍은 사진

화야와의 대화를 위한 이 시간을 기다리며 오늘 또 하루를 지냈습니다. 석을 진심으로 기다려주고 있는 것은 꼭 이 노트와 펜일 거라 믿으며 퇴근길을 재촉하는 것에 길들여졌습니다.

화야를 만난 것이 아주 먼 옛날의 일처럼 아련하게 떠오르는군요. 석양에 붉게 물든 서녘 하늘을 바라보고 한동안 넋을 잃었습니다. 하늘이 왜 그처럼 석의 마음을 울먹이게 할 수 있었는지 모르겠습니다. 화야의 그리움으로 가슴이 터질 듯, 마음은 화야에게로 달리기만 했습니다.

이유 없이 잔뜩 침울해지고 화가 치미는 날들입니다. 퇴근하여 집에 돌아오니 다정한 화야의 글이 석의 피로한 귀가를 반기며 기다리고 있더군요.

방어진 등대 바닷가에서 둘이 나란히 찍었던 그 사진과 함께 말입니다. 세상의 가을을 온통 다 담은 듯한 국화 한 송이도 석의 마음에 꼭 들었습니다. 언젠가 화야와 함께 찾아갈 그 기차역 철로 가에 피어 있을 코스모스 같아서 더욱 좋았습니다.

사랑하는 화야! 어제가 추분이었으니 이제 차츰 밤이 길어지겠군요. 어둡고 지루한 긴 밤을 석은 어떻게 보내야만 합니까? 잠자리 베갯머리마다 찾아드는 견딜 수 없는 허전함과 그리움을 어떻게 석이 혼자 견딜 수 있을까요?

그리운 화야! 보고 싶습니다. 귓가에서 속삭이는 다정한 목소리를 들어보고 싶습니다. 이대로 얼마나 더 기다려야 합니까? 화야는 석이 보고 싶지 않은 모양이지요? 밖엔 지금 바람이 일고 있습니다. 어느 골목 어귀에 뒹굴고 있을 플라타너스 몇 잎을 떠올려봅니다.

9월이 가면 가을은 더욱 깊어지고 국화꽃 향기도 짙어지겠지요. 시간이 너무 깊었나 봅니다. 디젤 기관차의 엔진 소리가 아주 가깝게 들려옵니다.

화야! 이제 또 잠을 청해 보렵니다.

바람이 몰고온 가을

오늘이 9월 26일, 초닷새 초승달이 하늘을 가르는군요.

화야가 부산에 오리라고 손꼽아 기다리던 29일이 아직도 3일이나 남았습니다.

꼭 와야 하는데 만약 오지 않는다면, 그 긴 기다림의 실망을 어떻게 감당할 수 있을까 하고 두려워지기까지 합니다. 오후에 영순이가 다녀갔다면서 방안에 하얀 국화꽃 한 송이와 빨간 카나리아 한 송이가 파란 잎 새 몇 개씩에 받들어 화야가 준 작은 꽃 상자와 나란히 아주 멋있게 놓여 있었습니다. 퇴근하여 방안에 들어서자 그 짙은 꽃향기가 방안에 가득 찬 것 같았습니다.

꽃을 보고 아름답다는 걸 느낄 수 있는 것을 보면 석의 가슴도 정녕 돌멩이는 아닌가봅니다. 오늘저녁 석은 퍽 유쾌합니다. 이러한 분위기 속에서 화야와 마주 앉는다면 재미있는 이야기를 할 수 있으리라 생각해 봅니다. 바람이 깊은 가을을 몰고 오는 것 같군요. 나뭇잎들이 약속하다 슬퍼하겠습니다. 화야의 과수원에도 온통 낙엽이 지고 나면 또다시 새봄을 기다리는 환희가 있지 않습니까?

가을은 우리에게 많은 것을 안겨주고 또 엄청나게 많은 것을 빼앗아 갑니다. 사랑하는 화야! 다정한 사람끼리 긴 이야기로 밤을 지새울 수 있는 계절입니다. 흔들리는 촛불로 어두움을 밝히고 잠시 대화가 끊기는 그런 빈 시간엔 풀벌레가 대신 이야기를 이어주겠지요. 방어진 방파제에서의 그날 밤 달이 저렇게 또 이곳에 떠 있습니다. 파도가 가만히 기어오르던 백사장의 달이 오늘 또 석의 잠을 앗아가려 하는군요. 소라 언덕의 풀밭위로 푸른 달빛이 번지겠지요.

화야! 다가오는 29일엔 석을 다시 만나러 꼭 이곳에 오는 것입니다. 그땐 우리의 대화가 좀 더 다정해질 것입니다. 우리 둘 사랑의 위대한 신이 꼭 화야를 석의 곁으로 데려다주기를 빌어 보렵니다. 석의 방안에 찾아온 저 꽃이 가을이 다 가도록 시들지 않았으면 좋겠습니다.

기다린다는 것은

기다림의 달 9월이 오늘로 마지막을 향해 가는군요.

기다려도 오지 않는 사람을 기다린다는 것이 얼마나 괴로운 것인가를 석은 배웠습니다.

이제 이 밤을 새고 나면 10월이 열리는군요. 어떻게 10월을 맞이하면 좋은가요? 여름 꽃들이 시들면 곱게 단풍이 물들고 가을은 또 그만큼 짙어지는 것이겠지요. 혹시 화야에게서 편지라도 오는가 하고 기다리다 못해 동생을 외숙모님 집으로 보내 보기까지 했습니다만 역시 석이 바보였나 봅니다.

화야! 9월이 다 가는데 그렇게 바보처럼 침묵하고 있으면 석이 혼자 어찌하라는 말입니까? 단 하나 조그맣게 밖을 향해 트인 창문, 석의 방에 꼭 하나 있는 그 작은 창문을 통하여 가을빛의 세상이 온통 다 내다뵈는군요. 포도 넝쿨의 가장자리 아주 약한 부분에서부터 계절이 생기를 잃어 가며 석의 창문 쪽으로 기울어진 가느다란 가지의 석류

나무 끝자락엔 제대로 다 자라지 못한 작은 열매가 아슬하게 매달려 있습니다. 눈을 들어 하늘을 바라보면 파란 구만리 푸른 창공이 기와 지붕 물매 너머로 멀리 펼쳐져 있고 하얀 구름 조각들이 흐르고 있습니다.

화야! 정녕 석에게서 기다림의 즐거움마저 빼앗아 버려야겠습니까? 무척 지루하고 괴로운 날들입니다. 이대로 얼마나 더 속수무책으로 기다려야 합니까?

사랑하는 나의 화야!

방황하는 이 가난한 이의 마음을 쉬게 해 주십시오.

수평선이 트인 바닷가도 좋고 고운 단풍에 젖고 낙엽이 뒹구는 산길도 좋습니다. 당신, 화야를 가까이 할 수만 있다면….

석의 이 긴 조바심의 시간들이 화야에게 진심으로 다가가려면 아직도 많은 시간들이 필요한 것 같습니다. 낙엽이 지기도 전에 9월이 가 버렸으니…

가을이 끝날 때쯤 화야의 손에, 아니 화야의 마음에 전해져 그동안 고이 간직했던 진솔한 대화의 문을 열게 되리라 믿어 봅니다.

편지를 가슴에 안고

10월 2일. 그렇게도 기다리던 화야의 편지가 오늘 오후 석이 손에 쥐어졌습니다. 왜 좀 더 일찍 소식 주지 않으셨는지, 정말 화야의 글을 기다리느라 석은 너무 지쳤나 봅니다.

이제 기다림의 마음이 어떠한 것인지를 당신, 화야에게도 느껴보게 하고픈 얄궂은 마음 마저 듭니다. 그래도 석은 우송郵送되지 않는 편지를 자주 쓸 것입니다. 언젠가 한꺼번에 보게 되겠지요. 그때까지 기다려주십시오.

바닷물이 지우는 모래 위의 글씨가 보고 싶지 않아 바쁘게 쓰고, 그것이 지워지는 것을 보지 않고 도망쳐 갔다는 그 글도 역시 짓궂은 바닷물이 쓸고 가 버렸겠지요. 방어진의 바다가 아마도 그 깊이 만큼이나 깊고도 푸른 질투를 하나 봅니다. 가곡집을 펼쳐두고 풍금 앞에 앉아 엷은 금속판의 떨림에서 울려 나오는 음률과 함께 고운 화야의 목소리가 잘 어울리는 화음으로 들려오는 듯합니다.

지난 29일엔 모임이 없었다고요. 그럼 또다시 10월 13일을 기다려도 좋을지 모르겠습니다. 석의 추석날 하향길에 길동무가 되어 달라고 했던 이야기의 답이 아직 없군요. 조금은 어려운 청이었다고는 생각했으나 그래도 어쩌면 가능하리라고 여겼었는데 가부의 답조차 없으니 어떻게 짐작해야 할까요? 이번에는 꼭 화야에게 석의 고향을, 태어나고 자라고 함께 살아왔던 부모님이 계시는, 지금도 모든 것을 염려하고 위해 주는 많은 다정한 사람들이 살아가고 있는 나의 고향을 보여 주고 싶었는데 욕심이었나 봅니다.

다시는 화야에게 그런 청을 하지 말까도 생각했습니다. 이러한 마음을 이해할 수 있을지, 구태여 꼭 이해해 주시기를 강요하진 않겠습니다. 당신을 향해 펜을 잡은 석의 심리 상태가 이토록 비틀어져 보기도 처음인 것 같습니다. 비틀어지기 시작하면 걷잡을 수 없을 만큼 지독히 비틀어져 버릴 수 있는 이면이 석에게도 있습니다. 화야는 이런 것들에 관심을 가지고 상상해 본 적도 없겠지요? 어쩌면 생각해 볼 아무런 가치가 화야에게는 없는지도 모릅니다. 우린 처음부터 화얀 화야, 석인 석, 그렇게 아무런 관계도 없이 남남으로 태어난 것이었으니까요. 우린 다만 서로 만나서 좋아진 것뿐입니다.

어머니의 마음

가을을 나란히 하고 아주 차분하고 조용하게 비가 내립니다.

우산을 받지 않아도 좋을 만큼 가볍게 내리는 빗속으로 나가보고 싶군요.

자체의 무게만큼이나 무겁게 마음을 내리누르는 듯 저 멀리 원목더미 너머로 자욱한 안개가 펼쳐져 있습니다. 비가 개이면 하늘은 더 푸르게 한 걸음 높아지겠지요. 출퇴근 때마다 버스 창밖으로 바라보이던 코스모스가 비에 젖겠지요.

아마 오늘부터 석을 기다리시는 어머님의 마음과 시선이 가로수 선 신작로 길에 스며들것입니다. 석을 기다리는 이맘때쯤이면 언제나처럼 이마의 주름을 보태고 계시는 나의 어머니께 석이 드릴 수 있는 보답은 무엇일까요?

고향에서 중학교를 마친 후부터 이제까지 줄곧 집을 떠나서 살았기에 석이 집에 있는 것이 어쩌면 오히려 이상하게도 여겨지실 것입니다. 부산에서 고등학교 다니기를 삼 년, 그리고 그 후 다시 한 해 동안 진학 입시 준비로 더 머물러 있었고, 야릇한 마음의 변화로 현장실습 생활 반 여 년, 잠시 집에 돌아갔다가 다시 광주에서의 일 년, 군대 생활 삼 년, 제대 후 아버님의 병환 때문에 거의 일 년 간 집에서 생활한 것이 철이 든 후 가장 오래 집에 머물러 있었던 기간이고 보면, 석을 기다리시기에 지치실만도 했으련만 그래도 항상 집에 돌아간 후에야 기다리던 마음의 긴장을 푸시는 어머님의 마음을 어떻게 헤아려야 할지, 이제 더욱이 아버지마저 안 계신 허전한 집을 동생들을 거느리고 지키시면서 석을 기다리시는 일에 온통 삶의 보람을 느끼고 계시겠지요

아무리 어렵고 바쁜 일이 있더라도 석이 오리라 기다리시는 이맘때 쯤엔 나도 한달음에 달려가 어머님을 뵙기로 마음 먹었습니다. 이번엔 영순이와 학교 다니는 남동생 두현이도 같이 가기로 했습니다. 어머님이 기뻐하실 모습을 빨리 보고 싶습니다. 원목을 자르는 톱날 소리가 무겁게 내려앉은 밤하늘을 받쳐이고 빗속에 들려옵니다. 지친 공원工員들이 졸고 있을 장내엘 한 바퀴 돌아보렵니다.

가을을 달리는 열차

끝없이 푸르러야 할 구만리 저 하늘이 왜 이토록 낮게 드리워져 얄궂은 비만 뿌려대는지, 시작을 알 수 없는 갖은 짜증에 마음은 온통 검은 빗속으로 젖어 드는 것 같습니다.

어머님과 동생들이 진정으로 반겨주는 고향에 왔다는 즐거움과 기쁨을 시샘하듯이 어제 아침부터 이 시간, 밤이 여물도록 계속 비가 내리고 있습니다. 열차 승강구와 심지어는 기관차 난간, 객차 지붕 위에까지 악착스레 매달린 채 귀향하는 사람들을 싣고 제대로 달리지도 못하던 경전선 목포행 준급행열차 속에서도 여섯 명이나 되는 동행자들 덕택으로 다행히 좌석을 잡을 수가 있어 차창 밖으로 펼쳐지는 가을을 음미하기에 별다른 어려움 없이 몰입 할 수 있었습니다. 인가가 없는 산비탈을 기차가 숨 가쁘게 달릴 때면 노오란 들국화들이 여기저기 다정스레 모여 피어 있었고 빛이 바랜 초가지붕들이 머리를 맞대고 있는 인가를 지날 때에는 빨간 고추와 연두색 탐스러운 박들이 이마를 마주하고 있는 전경, 황금물결을 이룬 벼 이삭의 풍요로움도 좋았으며 인적 없는 간이역 구내 철길 가에 무더기로 피어 있는 코스모스의 손짓은 더없이 정겨운 한 폭의 그림이었습니다.

가을을 달리는 이런 열차에 화야와 마주 앉을 수 있었다면 얼마나 멋있고 아름다운 여행이 될 수 있을까 하는 생각에 더러는 마음이 무겁기도 했지만 말입니다. 오전 열한 시 십오 분에 부산진역을 출발하여 고향인 진상역에 도착했을 때는 땅거미가 깔리기 시작하는 오후 여섯 시 반쯤이었습니다. 그러니까 한 시간 반 이상, 거의 두 시간 가까이 연착했던 것입니다. 역에는 국민학교 다니는 동생과 올해 여섯 살짜리 막내 동생이 우리를 기다리고 있었습니다. 벌써 며칠 전부터 얼마나 기다렸는지 모를 일입니다. 막내 동생의 고사리 같은 손을 잡고 집을 향해 걸어가는 신작로 길은 참 행복했습니다.

아버지 산소

비가 개고 파란 하늘이 구름을 헤치고 여기저기서 얼굴을 내미는데 산길은 물에 젖어 있더군요. 집에서 신작로를 따라 약 15분쯤 걸으면 '새내다리'라고 하는 제법 다리 모양을 갖춘 콘크리트교가 있습니다.

가까운 남해까지 이어지는 시냇물이 사철 맑게 흘러가는 그 곳이 여기서부터 시작하여 여름이면 천렵, 가을이면 또 야유회 놀이터로 형성되는 곳입니다. 이곳에서부터 신작로는 버리고 좁다란 산길을 따라 산등성이를 비스듬히 약 십 분쯤 올라가면 멀게 남해의 한 귀퉁이가 바라보이는 산 중턱에 아버님의 조촐하고 소박한 묘가 있습니다.

석이 항상 가고 싶어 하는 그 고향 길, 순천 쪽으로 달리면 여수와 광주, 목포 등지로 통하는 길이며 하동 쪽으로 향하면 진주와 마산을 지나 부산까지 직결된, 광주와 부산을 연결하는 버스가 하루에도 십여 차례 달리는 그 국도가 바로 눈 아래 펼쳐져 있고 기차가 개통 되면 그 기차를 타고 부산엘 가보고 싶다던 아버님의 못다 이룬 꿈의 결실인 양 버스길 너머로 건너편 산 아래를 돌아 두 갈래 철길이 산을 꿰뚫고 있습니다. 어쩌면 기차의 기적 소리가 들릴 때마다 어머님의 눈언저리가 소리 없이 젖는지도 모를 일입니다.

지리산 줄기를 타고 내리다 다시 하나의 정상을 이룬 백운산 계곡의 물줄기가 '수어천'이라는 이름으로 버스길과 철길 사이로 흐르며 내 고향 들판을 그토록 기름지게 적셔줍니다. 아버님을 이곳에 모시게 되기까지는 상당한 고집과 단언이 필요했습니다. 집안 어른들의 의견으로 기어이 우리 집안 산판에 모셔야 한다고 여러 가지 이유를 듣고 나왔었습니다만 석은 꼭 아버님을 현재의 그 위치쯤에 모시고 싶었던 것입니다. 오늘도 고향을 지나는 모든 차도를 한눈에 내려 보고 계시겠지요.

여동생 길순이와 영순이 그리고 남동생 두현이와 넷이 함께 아버님을 모신 산소엘 갔습니다. 과일, 과자, 떡, 술을 챙겨 신록 무성한 산엘 아버님을 추모하기 위하여 갔던 것입니다. 아버님의 무덤 앞에 무릎을 꿇고 앉았을 때 다시 한 번 세상에서 가장 인자하신 아버님을 여의고 없다는 서러움과 애석함에 마음이 아팠습니다. 그렇게도 석을 사랑하고 돌봐 주시던 아버님을 너무나 무력하게 잃고 말았습니다. 빨간 진달래가 피고, 고운 산딸기가 익어가던 그 산길 가엔 어느새 하얗고 노란 들국화가 피어 있습니다.

아버님을 모신 산소 가는 길엔 감나무도 있고 밤나무도 있습니다.

한창 붉게 익어가는 감이 매달려 있는가 하면 통실한 알밤이 여기저기 떨어져 있어 가을 산에 왔다는 걸 실감합니다. 돌아오는 길엔 다른 길을 택하여 가까운 절을 지나왔습니다. 사찰 내 산엔 밤나무가 탐스러운 송이들을 매달고 있어 풀숲에 떨어진 알밤을 줍기에 시간 가는 줄을 몰랐습니다.

산에서 내려와 맑은 물이 흐르고 있는 시내를 따라 펼쳐진 좁다란 신작로 길을 걸으면서 우리는 재미있는 이야기꽃을 피우며 시간 가는 줄 몰랐습니다. 언젠가 이맘때 쯤 이곳에 왔을 때는 보트 놀이를 했었고, 또 언젠가 겨울에는 얼음지치기도 했었습니다. 화야와 같이 와 보고 싶은 곳 중의 한 곳이기도 합니다.

이 길을 따라 반대 방향으로 거슬러 올라가면 차츰 좁아지는 시내를 따라 신작로가 끝나고 백운산이란 곳을 오르게 되는데 이곳 또한 가을이면 꼭 가고 싶은 곳입니다. 머루와 다래가 있고 밤, 감, 잣이 있어 가을을 즐기기에는 안성맞춤이라 여겨집니다. 산을 타고 내려오는 물줄기가 맑고 아름다우며 시냇가에 늘어선 바위 돌 들이 어찌나 깨끗한지 그곳에 그냥 눌러앉아 살고 싶은 정도입니다. 화야와 함께 올 수 있는 날이 있기를 간절히 희망합니다.

기다리는 편지

화야, 오늘이 10월 12일 토요일입니다.

내일이 13일, 어쩌면 화야가 부산에 올지도 모른다고 손꼽아 기다리던 날입니다.

석은 지난 9일 부산에 도착하여 10일부터 다시 예전처럼 변함없는 생활 속에 동화되었습니다. 편지를 받은 지 상당히 오래된 것 같습니다. 석이 편지하질 않으니 화야도 하지 않는 것인지 아니면 과수원 일이 너무 바빠 시간을 내지 못하는 것인지, 아무튼 기다려집니다. 그렇다고 석이 먼저 편지 하려 해도, 이번만은 꼭 화야의 편지를 먼저 받아 보리라 하는 고집을 쉽게 꺾을 수가 없어 이대로 버티어 보렵니다.

석이 이곳에 도착한 날 바로 9일 저녁에 석열이가 왔더군요. 추석에 방어진에 갔다가 화야의 어머님을 만나 뵙고 나눈 여러 이야기를 전하더군요. 석도 마찬가지로 고향에서 어머님과 여러 가지 일들을 의논 했었습니다. 어차피 어머님의 동의를 받아야 결정될 일이기에 꼭 어머님을 한 번 만나 뵈어야겠습니다. 그리고 이제는 화야의 집에서 석일 보고 싶다면 언제든지 응할 수 있는 마음의 준비가 갖춰져 있습니다. 아무튼 이러한 일들이 이루어지기 전에 화야와 단둘이 만나 먼저 우리 둘이 구체적인 의논을 나눠야겠다고 생각합니다. 내일 화야가 꼭 부산엘 왔으면 좋겠는데 어떻게 될지 모르겠군요.

가장 실질적인 결정은 결국 화야와 석, 우리 둘이 해야 하지 않겠습니까? 후회하지 않는 인생을 살아가기 위해 보다 행복하고 보람된 삶을 영위하기 위하여 우리는 최대한의 노력을 해야 한다고 봅니다. 정말 내일도 화야로부터 아무런 소식이 없다면 퍽이나 우울해질 것 같습니다. 마음속의 공허를 어떻게 달랠 수 있을지 미리부터 걱정스럽군요.

가을밤이 깊어 갑니다.

이 밤, 내일 화야가 내 곁으로 오는 꿈을 꾸어보렵니다.

습관

화야. 오늘은 또 석이 술을 한 잔 마시고 이제사 들어와 아직 술기운이 가시지도 않은 채 펜을 잡았습니다.

어느 때는 오래도록 잠이 들지 않아 잠 못 이루는 밤을 위해, 또 어느 때는 심한 졸음에 감기는 눈을 억지로 참으며, 유쾌하고 즐거울 때도, 또 괴롭고 우울할 때도 석은 항상 이 노트를 꺼내 펜을 잡고 당신에게 하루를 보냈다는 소식을 적고 안도감과 함께 잠속으로 빠져듭니다. 이젠 완전히 생활의 가장 중요한 부분으로서 습관이 되다시피 하였습니다.

화야! 사랑이 무엇인지 자꾸만 의문이 가는 것은 무슨 까닭일까요? 어떻게 하는 것이 사랑하는 것인지 모르겠습니다. 어떤 날은 화야와 석의 일까지도 꼭 남의 일처럼 실감이 나지 않을 때가 있습니다. 화야를 석의 어머님께 보여야 한다는 것, 또 석이 화야의 어머님과 오빠를 만나야 한다는 것들이 왜 그렇게 번거롭게만 여겨집니까? 한때 화야의 말대로 다른 모든 것을 생각지 말고 다만 연애하는 것으로 끝이 날 수 있다면 차라리 마음 편하겠다고 생각해 봅니다.

아직 석에겐 사랑이나 결혼이라는 것들이 그렇게 절실한 요구가 아닌 모양이지요? 그렇지 않고서야 어떻게 이처럼 무관심한 상태로 무의미할 수가 있습니까? 홀어머님을 모셔야 하고 어린 동생들을 길러야 하는 석의 처지를 감당해내야 할 현실이자 고통이 결코 쉬운 일은 아닐 것입니다. 그러한 고통과 어려움을 화야가 견딜 수 있겠습니까? 화야를 위하는 주위 사람들의 염려가 진정 행복을 위한 걱정일 것입니다.

그렇지만 석은 자신의 욕심만을 채우기 위해 거짓말을 할 수는 없습니다. 지금까지 해 온 여러 이야기 가운데 조금이라도 거짓은 없었다고 여깁니다. 앞으로도 화야에게 거짓말은 하지 않을 것입니다. 그래서 모든 이들이 석의 주위에서 멀어져간다 해도 꼭 결심한 하나의 길을 가는 일에 충실할 것입니다.

조개껍데기

지난번 석이 방어진에 갔을 때 화야가 정성스레 주었던 그 바다 선물인 산호와 소라껍데기, 조개껍데기를 다시 손을 보아 새로이 꾸며 봤습니다.

산호 세 가지 먼저 적당한 위치에 세워 놓고 그 사이로 소라와 조개껍데기를 흩어 놓았더니 그런대로 멋이 있어 보이는군요. 이렇게 새로 꾸며 놓은 나의 솜씨를 화야에게 보이고 잔뜩 칭찬을 받아 보고 싶군요. 아직도 아련히 스며오던 그 바다 내음이 좋아 코를 가까이에 대고 심호흡을 해 봅니다.

산에는 벌써 단풍이 들고 있겠지요. 붉게 불붙은 가을 산을 가보고 싶습니다. 발아래 깔리는 낙엽이 있으면 더욱 좋겠지요. 저만큼 더 높아진 하늘 아래 파란 물줄기를 끼고 좁게 트인 산길을 걸어 보고 싶습니다. 들국화 몇 송이가 무성한 잡초 사이에 피어 있으면 더 좋겠다 상상해 봅니다.

오늘 하루도 화야의 염려 가운데 무사히 밤을 맞았습니다. 무엇인가 있었어야 할 변화가 전혀 없이 판에 박힌 일상생활에 어쩔 수 없이 또 기성 인생이 되고 있습니다. 천지가 개벽하고 태양이나 지구가 폭발할 만큼의 변화는 아니더라도 삶에 조그마한 변화 하나쯤은 있어야 하지 않겠습니까? 덧없이 지나가는 젊음을 아까워하기에도 이젠 지쳐 버렸나 봅니다. 좀 더 강열한 의욕 속에 생활해 보고 싶습니다.

많은 이들이 걸어가고 또 걸어왔던 그 길을 묵묵히 그냥 따라 걷기에는 일상이 너무나 흥미가 없습니다. 회사를 그만둘까 하는 생각도 여러 번 해 보았습니다만 그것마저 쉽게 결정할 수가 없군요. 그 뒤의 석이 가야 할 길이 보이지 않아서 말입니다. 마음을 툭 털어놓고 이야기할 수 있는 사람이, 인생을 결정해 줄 수 있는 그런 사람이 아쉽습니다. 아직 밤 열 시밖에 되지 않았는데 잠이 오는군요. 오늘 근무가 피로를 몰고 오나 봅니다. 내일의 원활한 근무를 위해 오늘은 이만 자리에 들어야겠습니다.

옛날 이야기

화야! 오늘부터 좀 더 옛날이야기를 하고 싶습니다.

언젠가는 화야가 들을 수 있을 이야기이고 또 들어야 할 이야기이기에 재미없고 지루할지도 모르겠지만 섬돌 아래의 귀뚜라미 소리와 함께 귀를 기울여 들어 주기 바랍니다.

언제부터인가 정확한 횟수는 알 수 없으나 십여 회를 넘었으니 상당히 오랜 세월 전부터였나 봅니다. 현재 석의 집이 있고 어머님과 동생들이 함께 사는 고향 진상에서 약 20여 리 섬진강 쪽으로 산을 넘어가면 사방이 산으로 둘러싸인 계곡 같은 곳에 제법 넓은 들이 펼쳐져 있고 지금은 상당히 큰 마을이 생겨 마을 앞으로 신작로가 섬진강을 따라 길게 구부러져 있는 이곳에 김해 김씨 일가가 자리 잡은 '오추골'이라는 마을이 있습니다. 이제는 다른 성씨들도 더러 섞여 사는 거기엔 그래도 조상의 뼈를 지키며 살아가고 있는 종가가 많이 있습니다.

석의 아버지는 이곳에서 삼 형제 중 막내로 태어났습니다. 그때만 해도 학교에 보내려는 생각조차 하시지 않았다고 합니다. 산골에 파묻힌 농촌에서 두 형을 따라 농사일을 하고 산으로 다니며 나무를 해 왔다는군요. 하지만 아버지는 꿈이 있었습니다. 지금보다 넓은 세상을 더 많은 이들과 함께 살아 보고 싶어 했던 그 꿈이 아버님을 그곳에 그냥 머물러 있지 않게 했나 봅니다. 그때 아버님의 누님 되시는 분 즉, 석의 고모님이 현재 석이 고향인 진상의 종갓집으로 시집을 와 살고 있었기에 그래도 학교가 있고 다른 여러 곳으로 길이 트인 이곳으로 나왔다 합니다. 아무의 도움도 받지 못했으나 그래도 굴하지 않고 장사를 시작하고 시간 나는 대로 공부를 해서 세상살이와 지식을 배웠답니다. 그렇게 차츰 생활이 기반이 잡히자 어머님과 결혼하여 가정을 꾸미고, 그 후에도 일본, 만주 등지로 다니시며 고생도 많이 하셨지요. 아주 어렸을 때 죽은 석의 형이 있었다고 합니다.

그 후 삼 년이나 아이가 없자 어머님이 고모님들과 할머님께 받은 설움도 이만저만이 아니었던 모양입니다. 그러던 차에 태어난 게 석이고 보면 그때 받았을 귀여움과 사랑도 가히 짐작이 갈만합니다. 그래서 특히 외가 측의 사랑을 독차지하다시피 한 지도 모릅니다. 아주 옛날 일을 기억하고 있는 것이 한두 가지 있습니다. 그중의 하나가, 일본 사람들이 그러니까 순사였던 모양입니다. 긴 칼을 허리에 차고 말을 타고 석의 집 앞 신작로를 다니던 것을 기억하고 있으니까요. 해방의 기억은 하나도 남아있는 것이 없습니다. 그 후 석이 국민학교 이학년에 올라갔을 때 6.25사변이 터지고 길이 미어지게 며칠을 두고 줄을 잇던 수많은 피난민이며, 군인들을 가득히 실은 트럭들이 뽀얗게 먼지를 날리며 질주하던 기억이 생생합니다.

늦게야 석이도 아버지와 어머니를 따라 피난을 떠났습니다. 섬진강 하류 남해안 가까이 '배암골'이라는 작은 마을로 피난을 갔던 것입니다. 해가 서산에 걸리는 그런 시간이면 석의 손을 잡고 뒷산에 올라가 집이 있는 곳을 걱정스럽게 바라보시고 하던 아버님의 모습이 떠오르는군요. 그때 영순이가 두 살쯤 되었을 것입니다. 동란이 소강상태에 들면서 휴전이 되고 삼팔선이 생겼을 무렵 미처 도망가지 못한 인민군의 잔여 병들이 산으로 숨어들어 소위 빨갱이가 되어 밤마다 마을을 습격하고 재산과 인명을 빼앗아 갈 때 석의 집은 거의 파산하다시피 했었습니다.

아버지는 할 수 없이 식구들을 고향에 모두 두고 혼자 여수로 가셨습니다. 여수 중앙시장의 사촌 누나와 함께 고향에 있으면서 가끔 밤중에 작은 통통배를 타고 여수로 가서 아버지와 어머니를 보기도 하고 한 번은 순천으로 해서 난간도 없는 열차에 실려 여수엘 가기도 했습니다. 어렸을 때 기억이고 또 어수선한 시절의 일들이라 무엇이 어떻게 돌아갔는지 희미하기만 합니다.

밤이 깊었군요. 내일 다시 이야기를 계속하기로 하고 오늘은 이만 자리에 들렵니다.

세상이 전쟁의 혼란에서 벗어났을 때 아버지는 다시 고향으로 돌아오셔서 같은 자리에서 상업을 계속했습니다. 많은 재산을 잃었고 여러 번 위험한 고비를 넘겼으나 꾸준한 노력 덕분에 차츰 생활이 안정되어졌습니다. 그런 가운데 석이 자라고 국민학교를 마치고 그

곳 고향에 있는 진상 중학교에 입학하여 아무런 불편 없이 학교엘 다녔습니다. 학교가 생긴 지 오래되지 않아서 우리들은 여러 가지 잡다한 작업들을 해야만 했습니다. 집에서는 엄두도 내 보지 못한 지게도 져야 했고 삽과 괭이로 땅을 파야만 했습니다.

중학 삼학년 때 아버지와 진학 문제로 진지한 이야기를 했습니다. 아버지는 다만 석이 희망하는 대로 밀어주시기로 하여 나의 원대로 공업학교 기계과를 선택했던 것입니다. 외가가 부산에 있고 하여 1957년 부산 공업 고등학교 기계과에 입학하여 처음 부모님과 떨어져 객지 생활을 시작했던 것입니다. 그때 외가가 초량에 있었고 2층 방 한 칸을 차지하고 창으로 트인 부산항 제 2부두와 제 3부두를 한눈에 바라보며 꿈 많은 고교 생활을 했습니다.

스스로 택한 공학의 길을 추호의 후회없이 매진할 수 있었습니다. 벌써 그때부터 너무나 딱딱하고 물체의 형태와 수치 그것도 조금의 여유를 불허하는 정확만을 따지는 그 생활에 혹시 나라는 인간마저도 기계가 되지나 않을까 하는 염려로 음악과 문학, 영화, 토론 등 전문분야와는 동떨어진 것들에 의식적으로 접근하도록 노력했던 것입니다. 적어도 아름다운 소리를 듣고 아름다운 것을 보고 동화되며 자신의 느낌을 정확하게 말이나 글로 표현할 수는 있어야 하지 않겠냐는 생각이었습니다. 이런 것 모두가 하나의 인간이 살아가는데 필요한 요소라고 생각했기 때문입니다. 전문분야를 공부하는 것은 다만 살기 위한 수단이고, 그 외의 것을 배우고 익히는 것은 멋있게 살기 위한 하나의 방편이라고 생각했습니다.

한참을 이렇게 석의 정신세계가 성숙해 가고 있을 무렵에 찾아가게 된 방어진의 바다라서인지 더욱 더 기억 속에 아름답게 남아 있는지도 모릅니다. 수업이 끝나면 교내 음악실에 들러 음악을 듣기도 하고 또 친구의 피아노 연주에 맞춰 가곡을 배우기도 했으며 명색이 시라는 것도 흉내를 내어 낙서도 하고 시간과 경제가 허락하는 대로 좋다는 영화도 많이 보았습니다. 세계 명작이나 시집, 문학 작품들을 닥치는 대로 읽어 넘겼고 적어도 우리 생활에서 볼 수 있는 운동 경기들도 규칙과 방법 등 멤버의 일원으로 포지션에 서면 어느 정도는 할 수 있어야겠기에 탁구, 정구, 배구, 축구, 송구, 농구, 배드민턴, 수구, 럭비, 야구 등 골고루 해 보았습니다. 그때 한창 학생들 간에 유행이던 호신운동으로 고등학교 2학년 때부터 유도를 일 년 남짓했습니다.

지금도 그렇지만 역시 석은 너무 욕심이 많았나 봅니다. 하고 싶은 일도 많고 또 해야 할 것들도 많았다고 생각했으니까요. 인간으로 태어나서 사람들이 하는 일은 모두 해 보고 싶었습니다. 어쩌면 그래서 어느 것 하나도 제대로 하지 못했는지도 모르지요. 그렇게 석의 고등학교 시절도 어느덧 삼 년이 되어 3학년 말기가 되었습니다. 그때 학교에서는 졸업 후 진학을 희망하는 학생들과 사회 진출을 희망하는 학생들을 구별하여 사회반과 진학반으로 나누게 되었습니다. 석은 다시 아버지와 마주 앉았습니다. 그때도 아버지는 결정권을 석에게 주셨습니다. 더 배우고 싶었으나 너무 일찍 어른다운 생각으로 그것을 물리쳤습니다. 앞으로 동생들이 계속 자라고 있는데 혼자 욕심대로만 다 하고 보면 어떻게 되겠는가 하는 불안감, 그것이었습니다. 그래서 결국 고등학교로서 학교생활을 마치기로 했던 것입니다.

학교에서 알선하는 대로 사회반 친구들이 하나 둘 현장으로 떠나가던 졸업 직전에 아직도 결정된 곳이 없어 초조했었습니다만 그때 마음으로 그렇게 절대적인 것이 아니었습니다. 지금보다 큰 꿈이 있었으니까요. 세월은 너무나 빠르게 흘렀습니다. 졸업장을 쥐고 교문을 떠날 때 말 그대로 시원섭섭했습니다. 막연하게 취직이 되기를 기다리는 것도 무엇하고 하니 일단 집으로 돌아와서 기다려 보라는 부모님의 권유로 고향으로 갔습니다. 그랬던 것이 아버지의 상업을 거들며 지내기 몇 개월, 상업 방면에 젖어 들기 시작했습니다. 오랜 세월을 상업에 종사하며 살아오신 아버지의 바르고 정확한 판단과 계산법 등 많은 것을 배울 수 있었습니다.

여기에서 석은 하나의 가능성과 자신의 숨은 능력을 발견했지요. 졸업 후 몇 개월 동안을 그렇게 지내며 여러 가지로 생각한 나머지 아버지의 권유도 있고 하여 다시 진학하기로 했습니다. 그래서 그때부터 진학 준비를 서둘게 되었는데 아무래도 집에서는 여러 가지로 복잡하기도 하여 도로 부산으로 왔습니다. 석이 대학 입시에 응시했을 때는 국가고시 제도로 공동출제가 처음 행하여지던 해여서 공대 기계공학과는 그 경쟁률이 엄청난 것이었습니다. 바쁘게 짧은 기간 준비했던 것이라 불합격이 되었습니다. 크나큰 패배감을 안고 한참을 우울한 상태에 빠져있을 때 2차 추가 합격자 발표가 있었습니다. 인원미달의 과가 많았기 때문에 1차 불합격자 중에서 성적 순위로 다시 합격을 시킨 것이었습니다.

그때 석이 갈 수 있었던 학교와 과는 부산 시내에 있는 학교로서 동아대학교 기계과와 수산대학교 이과였습니다. 그 나머지 과들은 아예 생각지도 않았던 것들이니까 말할 필요도 없겠지요. 석이 지금 생각으로 가장 후회되는 것이 이때의 잘못된 판단이었습니다. 그때 그냥 아무데나 갔었더라면 대학을 무난히 끝낼 수 있었을 텐데 이왕에 시간과 경비를 들여 다닐 바에야 그런 식으로 가고 싶지는 않다고 하찮은 자존심을 고집하여 다음 해 다시 응시 하리라 결정하고 집으로 돌아갔던 것입니다.

군사 혁명 후 국가 시책과 사회 발전의 변화로 공업육성의 장기적 계획에 필요한 기술자의 확보책으로 시설이 완비된 공업학교나 규모가 제대로 짜인 국영기업체에 순 국비로 운영하게 되는 공업기술연수원이라는 것이 생겼습니다. 공업학교 출신자의 우선적인 흡수라는데 흥미를 갖고 광주엘 갔습니다. 이것이 석의 광주 생활 일 년 간 시작의 계기가 되었습니다. 광주공업고등학교 공업기술연수원 기계과에 입소하여 한 해 동안 다시 기계공학에 필요한 이론 과목과 실습을 공부했습니다. 이곳에서도 고등학교 시절의 꿈을 그대로 살려 전문분야의 이치와 많은 것들을 배우고 익히기에 게을리 하지 않았습니다. 일 년 간의 연수 기간을 마치고 일단 집으로 돌아왔다가 이내 다시 또 부산으로 갔습니다. 석은 어쩐지 부산이 좋았나 봅니다.

지금은 그 공장의 이름조차 기억나지 않는데 영도에 있는 어느 기계제작소에 실습 겸 출근을 시작했었습니다. 거기에 다니면서 다시 많은 것을 배웠습니다. 학교에서만 배워 모든 것을 현업에 옮겨 볼 수 있었다는 것과 실무에 종사하는 사람들의 생각과 이해 등 학교생활에서는 미처 생각해 보지도 못한 여러 가지 새로운 사실들을 알았습니다. 그때의 그 얼마 되지 않은 기간의 경험이 그래도 현재 근무하는데 여러 가지 도움이 됨을 가끔 발견하곤 합니다.

대한의 젊은이라기보다는 권리를 행사할 수 있고 권리를 찾을 수 있는 사회인으로서 마땅히 해야 할 하나의 의무를 완수하기 위해 징집영장을 받고 그 공장을 나왔습니다. 1964년 10월 5일에 광주 31사단 신병 훈련소에 입대하여 말로만 들어오던 훈련병 생활을 6주 동안 하였습니다. 소대 향도라는 직책도 그리 쉬운 것은 아니었습니다. 차마 인간으로서는 감당할 수 없을 정도의 치욕과 고통, 규율과 억제 거기다가 계속되는 고된 훈련, 정말 다른 아무것도 생각할 틈이 전혀 없는 생활이었습니다. 6주 동안의 훈련을 마쳤을 때, 새 작업복과 군화, 그리고 깡통 계급장이라는 작대기 하나, 이등병 계급장을 달고 배출대로 나왔을 때는 마치 군대 생활 30개월을 다 마치기나 한 것처럼 기뻤습니다.

그러나 그것은 순간의 기쁨이었고 그때부터 본격적으로 의무 생활이 시작되었습니다. 입대하기 전 아버지와 주위 여러 사람의 부탁도 있고 소개도 있었으나 석은 모두 뿌리치고 앞으로의 생활을 그냥 내버려 두고 될 대로 되라고 생각했습니다. 누구나 다 한 번 거치는 길인데 '나라고 못 할 일이 뭐 있겠느냐? 이왕에 들어선 길이니 어떠한 고생이라도 해 보자.' 결심했습니다. 11월의 저녁은 상당히 빨리 왔습니다. 해가 질 무렵, 쌀쌀한 바람을 안고 차출된 연병장에 모여 서서 판결을 기다리는 죄수 모양 배종될 전출지를 기다렸습니다. 석은 제3보충대로 발령이 났습니다. 거기가 어딘지도 모르고 관물을 담은 큰 백을 짊어지고 트럭에 실려 광주 송정리역으로 갔습니다.

그곳에서 다시 야간 군용열차에 실려 호남선을 따라 서울을 향해 올라갔습니다. 그때까지 광주 위로는 한 번도 가 본 적이 없었습니다. 깜깜한 어둠속에서 깨어나 보니 창밖이 희부연히 밝아지고 있었고 서울 용산역에 다다랐습니다. 그곳에 내려 군용식당에서 아침밥을 먹고 다시 강원도 춘천행 열차에 몸을 실었습니다. 지도 수첩을 꺼내 남쪽 고향과 지금 가고 있는 춘천을 찾아보니 정말 아득했습니다. '이제 영영 고향에는 다 갔구나' 하는 생각에 왈칵 무서운 생각까지 들었습니다. 남쪽에는 아직 그래도 따스한 때인데 춘천 소양강에 부는 바람은 남쪽의 겨울바람처럼 차갑고 매서웠습니다. 그땐 왜 그렇게 바람마저 세차게 불어 대는지 나뭇잎이 하나도 달리지 않은 살벌한 나무들이 그 앙상한 가지를 지탱하지 못해 심하게 흔들렸습니다. 제3 보충대에서 다시 며칠간 다음 배치될 부대의 결정을 기다려야 했습니다. 석이 지금껏 살아오면서, 어쩌면 평생을 통틀어 그때만큼 완전히 모든 자존심과 의욕을 잃어 본 적도 없었고 또 없을 것입니다. 군대의 유행어로 진짜 돌이 되어 그때부터 하나의 새로운 인간 아닌 군인이 되어가고 있었습니다.

며칠 후, 그 며칠이 몇 년 아니 몇 십 년이나 되는 것처럼 지루하고 답답한 시간이었습니다. 이야기를 계속하자니 그냥 이렇게 며칠 후라고만 적어 두는 게 편하겠지요. 1101 야전 공병단으로 특명이 내려졌습니다. 그때는 그냥 아무것도 모르고 포장 친 군용트럭에 실려 갔지만 그 후에 알고 보니 경기도 광탄이라는 곳이었습니다. 훈련소에 있을 때 돈을 갖고 있으면 분실의 염려도 있고 또 기관병들이 알면 공연한 트집을 부려 곤란하다고 하여 훈련 기간 중 보관시켜 두었던 것이 차출 당시 정보가 잘못되어 몸에는 돈 한 푼도 가지지 못했습니다.

그때까지도 돈을 갖지 않고 어디로 간다는 것을 생각지도 못했습니다. 그랬더니 그때의 석이 심정이 어떤 것 이었을지 가히 짐작할 만할 것입니다.

하루 세끼 주는 군대 식사 그것만으로 배도 몹시 고팠습니다. 배가 고픈 것이 무엇인지도 그때 비로소 알았습니다. 그때가 마침 김장철이 한참이어서 본부에서는 김장이 시작되고 있었습니다. 우리 신병들은 김장하는데 동원되어 무와 배추를 씻기도 하고 고추를 다듬기도 하고, 아침이면 영내 구석구석에 흩어져 날리고 있는 낙엽을 쓸어 모으고 불을 피우는 것이 일과였습니다. 하지만 그곳도 석이 머무를 곳이 아니었습니다. 이틀 후 다시 커다란 관물 백을 짊어지고 떠나야 했습니다. 111대대로 간다는 것이었습니다. 일행은 훨씬 줄어져서 5명이었습니다. 트럭을 타고 양평역에 도착한 것이 해가 질 무렵이었습니다. 원주행 열차 일반 칸에 탔을 때 꼭 다른 세상에 온 것 같은 야릇한 심정이었습니다. 입대 후 처음으로 일반 민간인과 가깝게 서 보게 되었으니까요.

차 안에 있는 여러 사람의 시선이 우리들의 초라하고 힘없는 모습들을 보며 위로를 하는 것 같았습니다. 밤 열두 시가 넘어 목적지인 원주에 도착했습니다. 원주 시내에서도 우리가 찾아갈 111대대는 약 10여 리 쯤 더 가야 한다고 했습니다. 텅 빈 장병 대기실에서 아직 난로도 피우지 않은 추운 나무 의자에 앉아 기다린 지 한 시간여 후에 부대에서 지프차가 나왔습니다. 부대에 들어가니 모두 잠이 들어 있더군요. 커다란 천막 아래 나무 마루 장판 위에서 그나마 틈틈이 겨우 끼어들어 잠이 들었습니다. 항상 팽팽히 긴장된 기분 그대로 완전히 표정을 잃고 무뎌져 버린 감정 상태 속에서는 약한 인간의 육체와 정신도 예상 외의 힘이 생기는가 봅니다.

다음 날 날이 밝자 대대장실에서 치르는 전입신고식이 있었습니다. 전입신고가 끝나자 다시 또 대기병 생활이 시작되었습니다. 가는 곳마다 다시 또 가야 할 곳을 기다리는 것에 지쳐버렸습니다. 이제 어디라도 좋으니 내가 앞으로 생활해야 할 곳에 빨리 안착했으면 하는 욕망뿐이었습니다. 삼 일 후 저녁때 제1중대에서 연락병이 데리러 왔습니다. 그를 따라 차를 타고 30여 분 달려 원주 시내를 완전히 벗어나 산골짜기 입구에서 내렸습니다. 백운산이라고 했습니다. 캄캄한 산길을 발부리로 돌멩이를 차며 한 시간쯤 올라가니 희미한 불빛이 보이고 가까이 가니 괴물처럼 커다란 천막 몇 개가 산골짜기에 흩어져 엎드려 있었습니다.

중대 본부에 들어가니 난로를 피워두고 불침번이 혼자 총을 메고 근무를 하고 있었으며 다른 병사들은 잠이 들어 있었습니다. 그때 시간이 자정이 넘었으니까요. 내가 머물러 있는 그곳이 도대체 어느 곳이며 주위에 무엇들이 있는지도 몰랐습니다. 이튿날 아침 깨어나서 천막 밖으로 나와 보니까 나무도 서지 않은 헐벗은 양쪽 산 사이 계곡에 바윗덩이 틈을 피하여 천막을 친 막사였습니다. 막사 앞에는 산 위에서부터 흘러내리는 작은 개울이 있었고 뒤쪽으로는 산을 허물고 바위를 깨 겨우 자동차가 다닐 수 있게 길이 나 있었습니다. 그 길은 산꼭대기까지 이어져 있었고 작업병을 실은 군용 덤프트럭이 하루에 두세 차례 오르내릴 뿐이었습니다.

아침 식사가 끝나고 일과가 시작될 무렵 중대장실에 불려가 중대장께 직접 전입신고를 해야 했습니다. 신고가 끝나고 다시 중대 본부의 대기병 신세가 되었습니다. 내무반 청소와 정돈 등 그곳에서도 또 지루한 하루가 지나갔습니다. 다음 날 제1소대로 특명이 났습니다. 군대 생활을 통해 갈 수 있는 최소 말단 소대에까지 왔으니까 이제 더는 갈 곳이 없는 것입니다. 어떻게 된들 우선은 갈 곳까지 다 갔다는 안도감 같은 것을 느꼈습니다. 나무를 자르고 또 자른 나무를 쪼개고, 그 나무를 다시 소대 내무반 난로 가에 쌓고 하는 일로 소대 생활 첫날을 보냈습니다.

소대의 고참병들이 제법 친절한 것 같았습니다. 지금까지 훈련병 생활과 대기병 생활에서는 받아 보지 못한 인정을 느끼기까지 했으니까요. 소대 생활 2일 째부터는 삽과 곡괭이를 메고 작업장엘 나가야 했습니다. 산꼭대기에 장거리 통신 중계소 막사 신축공사가 있었기 때문에 그때는 그 진입로 도로 정비 작업이 한창이었습니다. 11월 말인데도 벌써 음지의 땅은 얼어붙어 커다란 공병 곡괭이로 힘껏 내려찍는데도 겨우 자국이 날 뿐 쉽게 파지지 않았습니다. 때가 묻어 지저분한 작업복에 떨어진 통일화, 귀가 시려서 귀를 덮을 수 있는 방한모와 얼어드는 손을 감싸노라고 그 보기 흉하고 큰 벙어리 수갑을 끼고 종일 작업에 시달리고 고참병 심부름과 내무반 정돈 등을 하느라 정말 다른 아무것도 생각할 틈이 없었습니다.

그때 당시 석에게 가장 절실한 바람이 있었다면 그것은 다만 밥을 배부르게 먹고 실컷 잠이나 자 보았으면 하는 것이었습니다. 아득히 멀게 고향을 그리며 초라한 자신의 모습과 비굴해진 생활에 눈물이 날 정도로 슬픈 감정마저 들었습니다. 차차 겨울이 깊어지고 남쪽에서는 상상해 보지도 못했던 심한 추위와 눈보라가 살갗을 에이는듯 하더군요. 그렇게 날씨가 심하게 추워지자 다른 일을 할 수 없어 매일 내무반에서 교육을 받아야 했습니다. 그러한 생활이 얼마쯤 계속된 후 연말이 되어 크리스마스를 맞이하고 또 신정을 보내는 시간은 더욱더 견디기 어려운 때였습니다. 시간에 쫓기지 않는 그 일상들이 더욱 더 견디기 어려웠습니다.

모든 것을 다 잃어버린, 과거의 기억과 미래에 대한 모든 기대마저 빼앗겨 버린, 그런 허탈한 상태, 아마 이런 것이었을 것입니다. 이러한 생활에 하나의 변화가 왔습니다. 중대 본부 행정 요원으로 일을 해 보라는 지시였습니다. 그날로 중대 본부 요원이 되어 고참 병장인 자재계의 조수로서 일을 배우기 시작했습니다. 이곳에서는 밥을 좀 더 배부르게 먹을 수 있었고 또 생활도 약간 편안했습니다. 자재계의 일을 배우기 한 달 쯤 되어 동기부대 교육이라는 보병 전투 교육이 시작되었습니다. 중대 교육계의 업무량이 급증함에 따라 석은 다시 교육계의 일을 하게 되었습니다. 군대 생활을 이제 시작하는 졸병에게 익숙하지 못한 일이라 모두 다 잠이 든 후 혼자 늦게까지 사무실 책상 위에서 응시 및 보고 공문 작성에 거의 밤을 새우다시피 한 적도 많았습니다. 그렇게 한 것도 때로는 규정 위반이니 지연 발송이니 하여 빨간 도장이 찍혀 회송될 때는 정말 어쩔 바를 몰라 쩔쩔매기도 했습니다. 그러나 역시 군대 생활은 시간이 모든 것을 해결하는 것이더군요. 차츰 모든 것에 익숙해졌습니다. 하루 한 두 시간이면 모든 일을 끝낼 수 있을 정도가 되었습니다.

나머지 겨울 동안은 그런대로 사무실 난로 가에서 그렇게 추운 줄 모르고 보낼 수 있었습니다. 양지쪽 눈 더미가 서서히 녹아내리기 시작할 무렵 계속해서 F.T.C 교육 소위 공병 교육이 시작되었습니다. 전 대대가 경기도 양수리 교육장으로 이동하는데 그 이동이라는 것이 또 굉장한 것이었습니다. 며칠 전부터 짐을 꾸리기 시작하여 출발하는 날은 아침 일찍 일어나 우리가 그동안 생활하던 천막과 사무실 안 모든 비품을 다 차에 싣고 떠나는 것이었습니다. 원주에서 양수리까지 거리는 상당히 멀었습니다. 오후 늦게야 도착할 수 있었습니다. 짐을 풀고 그 짐을 대강 정리하고 나니 밤이 깊었습니다.

그곳에서도 또 보급계, 특히 일체 먹는 것을 취급하는 일종계가 직접 양평 보급소에까지 수령을 다녀와야 하기에 전에 있던 계원 혼자로서는 도저히 감당할 수가 없는 상태였습니다. 그때 교육을 같이 받으면서 교육계 일을 하고 또 한 편으로는 일종계의 일까지 같이 봐야 했습니다. 교육이 끝나는 날 대대에서 2등이라는 성적으로 단장 표창장과 부상으로 포상 휴가 15일간 받을 수 있었습니다. 군대 생활에서 석이 제일 처음 집에 가는 기회였습니다. 출발일 2, 3일 앞두고부터 마음이 들떠 일이 손에 잡히지도 않고 잠이 오지도 않았습니다. 부대가 다시 원주로 돌아온 후 휴가를 떠났습니다. 원주역에서 용산행 군용열차를 타고 서울 용산역에 내려 그곳에서 다시 호남선 군용차를 탔습니다. 꼬박 밤을 새워 달리고 다음 날 아침, 광주 송정리에 내렸습니다. 광주 시내에 들어와 여수행 직행버스를 타고 순천에서 내려 고향 집까지 도착하니 해가 질 무렵이었습니다. 아버지와 어머니를 뵈었을 때 석은 울고 말았습니다. 그것이 무엇을 의미하는 눈물인지 알 수 없었으며 어머님께서도 목이 메어 말을 잇지 못했습니다. 꼭 꿈만 같은 느낌이었습니다.

첫 번째 휴가를 마치고 부대에 복귀하여 일종계일 을 전적으로 맡게 되었습니다. 일종계 계원이 제대로 해버렸기 때문입니다. 일종계는 교육계보다 편하고 또 용돈도 생기는 일이었습니다. 제대할 때까지 계속 일종계를 보았고 부대가 경기도 광주로 이동했을 때는 P.X 계원까지 겸임했었으며 제대를 2, 3개월 앞두고부터는 중대 서무계일 사병계 업무 등 중대 행정을 거의 관리하는 일까지 했습니다. 그래서 군대 생활을 지루하지 않게 재미있게 마칠 수 있었습니다. 남들은 제대할 때까지 한 번도, 어쩌다 한 번 쯤 이동한 것을 큰일처럼 이야기하는데 석은 꼭 일곱 번 이동하고 제대했습니다. 30개월의 군대 생활을 통하여 처벌은 하나도 없었으며 교육에서 표창장 하나, 그리고 부대 웅변대회에 입선하여 단장 표창장 둘 이렇게 세 개의 단장상을 받았습니다. 그래서 포상 휴가가 세 번, 정식휴가 두 번, 청원 휴가 한 번, 비공식이 두 번 모두 여덟 번 휴가가 있었습니다.

매를 맞지 않으려고 산으로 도망을 친 때도 있었고 얼마나 맞았던지 엉덩이가 터져 엎드려 잠을 잔 때도 있었습니다. 탈영병과 도망병 때문에 징계 의결서를 들고 헌병대를 찾아다닌 적도 있고 부식 구매로 민간 납품업자와 시장을 돌아다니기도 했습니다. 분기별로 장병들 가정에 띄우는 지휘관 서시의 초안을 잡았고 이유서며 전말서, 시말서를 써야 할 때도 있었고, 안전사고 보고서, P.X 월말 결산 및 일종 결산, 연료 결산, 봉급 결산 등 골치 아픈 일들도 많았습니다. 그리고 석이 군대 생활을 통해서 배운 것 가운데 특이할 만 한 것은 자동차

운전이었습니다. 운전병 외의 병사가 운전하면 처벌을 받게 되는데도 석은 용하게 그것을 배울 수 있었습니다. 직책 관계로 차량 인솔의 기회가 많았기 때문이었지요. 1967년 4월 1일부로 드디어 제대를 했습니다. 세상에 아무 것도 더 바랄 것이 없고 또 부러운 게 없는 것 같았습니다. 30개월 군 복무 기간에 있었고 또 느꼈던 많은 이야기를 이번 기회에는 다 할 수가 없군요. 앞으로 생각나는 대로 다시 더하기로 하고 이제부터는 그 후의 이야기를 하렵니다.

그때쯤 해서 아버지는 축농증 증세가 있어서 순천에 있는 어떤 이비인후과 병원에 다니시며 치료를 받고 계셨습니다. 코가 막히고 머리가 무겁고 하는 정도의 가벼운 증세는 날이 갈수록 그 정도가 심해졌습니다. 마침 석이 제대를 해서 집에 있을 수 있어서 아버님을 좀 더 큰 병원에 가시게 하여 완치할 수 있도록 합의를 하고 부산으로 가셨던 것입니다. 전문의사와 대학병원에서의 종합 진찰 결과 아버지를 그렇게 괴롭히던 병마가 암이라는 진단이 내려지기에는 거의 한 달가량 뒤였습니다. 아버지는 부산에서 다시 서울 원자력연구소 방사선 치료과에 가셨습니다. 살을 도려내는 듯한 고통 속에서도 집의 일이 걱정되고 또 엊그제 제대를 하고 돌아온 아들을 붙잡아 둔 것이 그렇게 마음 아프셨던 모양입니다.

아버지는 고향으로 내려오셨습니다. 그때 일본에서 수입되는 항암제 주사약이 좋다는 권유를 받고 석이 여수에 갔었습니다. '마피린'이란 약이었습니다. 일 회 주사분에 천 원, 하루에 한 번씩 장기간 맞아야 한다고 했습니다. 그러나 그 주사에도 효과는 없었습니다. 전주에 있는 예수병원에 암 관련 권위있는 미국 신경외과 박사 한 분이 있다는 것을 알고 아버지를 모시고 전주에 갔습니다. 병원에서 입원 수속을 하라고 하더군요. 제법 밝은 기대를 걸 수 있었습니다. 2주일의 입원비와 수술비를 지불하고 절차를 마쳤습니다. 종합병원인 그 병원은 상상외로 규모와 시설이 컸습니다. 일등실이라 제법 보호자용 침대까지 마련돼 있고 환자와 같이 침식을 할 수 있게 해 주었습니다.

진찰을 하는 데만 꼭 3일이 걸렸습니다. 암이라고 확실히 진찰 결과를 말했습니다. 환자에게는 이야기해 주지 않았지만, 아버지는 먼저 짐작하고 계셨습니다. 입원실 침대에 누워 있으면서도 여러 가지 집안일을 걱정하시더군요. 수술을 받자고 하는 병원 측의 연락을 받고 석은 고향으로 내려가고 대신 어머님을 병원에 계시게 했습니다. 환자를 보살피는데는 어머님이 더 좋겠다고 생각했기 때문입니다. 진정으로 석을 염려해주는 여러 사람의 이야기가 더욱 석을 슬프게 했습니다. 암은 아무리 애를 써도 나을 수 없으니까 더 이상 완치해 보려고 애를 쓰지 말라는 이야기였습니다. 공연히 돈만 쓰고 재산만 없어진다고 다들 걱정하셨습니다. 하지만 아들로서 아니 하나의 인간으로서 어떻게 그냥 있을 수 있겠습니까?

그때부터 석은 여러 식구 걱정을 하지 않을 수 없었습니다. 이대로 아버지가 돌아가신다면 석이 모두 돌봐야 할 것인데 믿기도 어려운 아버지의 완치를 위해 얼마나 더 재산을 없애도 될 것인가 무작정 쓸 수도, 또 쓰지 않을 수도 없기에 입장이 아주 난처했습니다. 수술의 경과가 좋다는 담당 의사의 중간 진단을 받고 퇴원했습니다. 퇴원 후 병원 가까운 곳에 방을 얻고 어머님이 간호를 계속하시면서 약 두 달가량 방사선 치료를 받았습니다. 아버지께서도 퍽 좋아지셨다고 밝은 표정을 보여 주셨습니다. 언제까지 집을 떠나서 그렇게 있겠느냐고 집으로 돌아가자고 아버지가 졸랐나 봅니다. 결국은 집으로 오셨습니다.

이곳의 여러 사람들이 나아서 기쁘다고 진심으로 기뻐해 주었습니다. 그러나 암은 그런 식으로 완치되는 것이 아니었습니다. 얼마 지나지 않아 환부는 종전 상태로 진통을 주기 시작했고 급기야 안부와 머리 부분을 마치 예리한 칼날로 오려내는 듯이 아프다고 하셨습니다. 더 이상 현대 의술과 약효가 좋다는 의약도 믿을 수가 없게 되었습니다. 과학이 미치지 못하는 세계 그것은 미지의 신이 다스리고 있는 지역 아니겠습니까? 생각다 못해 어머님은 점쟁이를 찾아다니며 점을 보았습니다. 몇 대 할아버지의 묘가 나빠서 그런다고, 그래서 날을 받아 이장했습니다. 그래도 아버지의 고통은 더해갈 뿐이었습니다. 할머니 묘를 파서 옮기고 밤을 새워 징을 치고 큰 대나무에 뱃 가래를 걸고 하는 푸념 큰 굿을 무려 세 번씩이나 하고, 그야말로 발악이었습니다.

가끔 아버지는 석을 불러 놓고 고통을 참느라 일그러진 얼굴을 몇 번씩 그려가며 여러 가지 이야기를 했습니다. 별로 중요하지 않은 많은 이야기를 자꾸 반복해 가면서, 그 혹독한 병마에 괴로워 하시면서도 아들인 석에게 무엇이 그렇게 미안했던지 환부에서 느끼는 진통보다도 더한 미안함을 보였습니다. 세상에 태어나서 죽고 싶은 사람이 누가 있겠습니까마는 아버지만큼 죽지 않으려고 애를 쓴 사람도 없었으리라 생각합니다. 그렇게 희미해져 가는 마지막 생명의 순간까지 우리 자식을 걱정하고 앞으로 살아가야 할 모든 것을 걱정하셨습니다.

여기서 그때 아버지가 석에게 하셨던 그 많은 이야기들을 다 옮길 수가 없습니다. 1967년 음력 10월 21일 아버지는 영영 다시 올 수 없는 딴 세상으로 가시고 말았습니다. 석은 아무런 생각이 없는, 무엇을 잃었는지조차 알 수 없는 그런 상태에 빠졌습니다. 어머님의 울음, 동생들의 몸부림, 고모님들과 친척들의 울음바다 속에서 석은 울 수도 없었습니다. 기어이 울어 보지도 못하고 그 좋은 아버지를 석은 여의고 말았습니다. 더는 펜을 잡고 있을 수가 없습니다. 이상 더 이야기는 계속할 수가 없겠습니다.

다시 태양은 떠오른다

9월이 가고, 또 10월이 가고 하늘은 저렇게 높아만 지는데 나뭇잎은 땅으로 자꾸만 내려앉는군요.

오늘이 11월 1일, 탄생과 성숙 뒤에는 결실과 재생산의 준비가 필요하겠지요. 나뭇잎이 지면 거기 또 하나의 새로운 일을 위해 순을 간직하고, 낙엽은 흙이 되고, 그 위에 또 다른 생명의 잉태가 기다리고 있겠지요.

밤하늘의 달이 저만큼 성숙한 걸 보면 화야와 만날 수 있는 날이 가까워진 모양입니다. 무엇이 이토록 석의 마음을 기다림에 매어 두었을까요? 기다림 그 뒤에 오는 것은 무엇일까요? 계절과 함께 성숙해 온 우리 둘 사랑의 결실은 무엇입니까? 이른 봄부터 서서히 자라온 사랑을 기대할 수 있는 11월의 바람이, 그것은 석이 혼자만의 것일 수도 없고 화야 혼자만의 것일 수도 없는 꼭 둘만의 것이어야 하는 바람입니다.

자태를 뽐내던 신록도 계절의 순환에는 따르기 마련, 가을이 짙어지고 찬 서리가 내리면 꽃잎도 시들고 어둡고 지루한 긴 겨울밤을 울어야만 하는 것입니다. 그러나 그것은 또 그런대로 새봄의 찬란한 태양을 받고 소생할 수 있다는 꿈이 있는 기다림의 시간이겠지요. 하얀빛의 싸늘하고 지루한 동면의 겨울이 있기에 아지랑이처럼 아물거리며 솟아오르는 봄이 그처럼 찬란할 수 있지 않겠습니까? 벽에 걸린 카렌다가 꼭 두 장 남았군요. 가을이 깊어지고 찬 서리가 내리는 겨울이 되면 나뭇잎이 말라 떨어지듯이 그렇게 한 장 두 장 떨어져 나간 것이 이제 덩그러니 두 장만을 남기고 있습니다. 이렇게 또 한 해가 끝나야 하는 시점에 가까워졌습니다.

달이 지면 태양이 떠야 하듯이 한 해가 지나가면 또 다시 한 해가 시작되는 것 아니겠습니까? 자연의 수레바퀴는 항상 변함없이 그렇게 돌아가지만, 사람은 그 시간 만큼이나 늙어가고 있겠지요. 하루의 태양이 서산에 걸리면 또 다음 날 아침엔 틀림없이 동쪽에서 다시 솟아올라 눈부시게 찬란한 빛을 비춥니다. 태양이 지고 다시 어둠이 깔려도 사람들은 누구 하나 그 태양이 내일 다시 영영 뜨지 않을까 하고 걱정 하지 않습니다. 아니 그런 것을 걱정하는 사람이 있다면 어떤 이는 그를 비웃고 미친 사람이라 손가락질 하겠지요. 어떻게 해서 그렇게 되어야 하는지 모르겠습니다만. 막상 공기가 없어진다면 모든 생물은 그 순간부터 삶을 잃게 되는데도 우리는 그것을 걱정하지 않습니다. 그 엄청난 믿음을 주고 있는건 무엇이겠습니까? 틀림없이 내일 또 태양은 떠 오른다고 그렇게 영원하기를 인간에게 공약한 신은 누구입니까? 오늘 이렇게 태양이 찬란하게 떠오르듯이 내일도 그럴 수 있으리라고 내일을 걱정하지 않는 것이 참으로 이상하게 느껴집니다.

행복에 젖은 사람이 그것이 깨어지면 어떻게 하나 하고 걱정할 때 그 사람의 행복은 이미 깨어지고 있는 것 아니겠습니까? 사랑에 취한 연인들이 오늘 헤어지면서도 내일 다시 만난다는 약속을 믿기에 웃으며 하나의 자석에 서로 극이 다른 양극과 음극이 붙어 있듯이 꼭 하나로 붙어 있는 것이라 생각합니다. 애당초 믿음이라는 것이 없었다면 불신이라는 말도 없었을 것입니다. 양극과 음극이 붙어 있는 자석을 그 중 하나의 극만 남기고 싶어 둘로 나누었을 때 그 각각은 다시 양극과 음극으로 구별된다는 이치는 중학교 과학 시간에 배운 상식입니다. 믿음과 불신 둘 가운데 하나만을 택하기 위하여 불신을 버렸다고 합시다. 그래서 믿음이라는 하나가 남았다고 안심해도 좋을까요? 사랑이 맹목이어야 하듯이 믿음에도 다른 아무것도 개입되지 않아야 한다고 봅니다. 내일 다시 태양이 떠오를 것이라고 새삼스럽게 다짐하지 않아도 좋을 것처럼 그렇게 말입니다.

꼭 잠을 자야겠기에 눈을 감고 잠을 청해 보지만 그러한 노력만큼 정신은 자꾸만 여러 길로 흩어져 잠이 들지 않는군요. 한참 동안 잠을 청해 보려는 노력과 잠이 들지 않으려는 정신 사이에 몸을 뒤척이다 말고 이렇게 또 배를 깔고 엎드려 펜을 잡았습니다. 석이 방어진을 찾아가기 전 며칠을 꼭 지금처럼 이렇게 잠을 이루지 못해 몸부림쳤습니다. 잠못이루는 고통이 어떤 것인가를 알 수 있을 것 같군요. 오늘이 11월 2일이니 이제 오늘이 가고 밝아 오는 내일이면 화야를 만날 수 있겠지요. 화야를 만난다는 그 생각이 이렇듯 석에게서 잠을 앗아가 버렸나 봅니다.

그 긴 기다림의 종착역이 가까워질수록 초조해짐을 느껴야 하는 그런 여행길처럼 마음이 공중에 둥실 들떠 있습니다. 이번 만남에서 석이 줄 수 있는 것이 무엇이고 또 화야에게서 받을 수 있는 것이 무엇일지 자신도 알 수 없군요. 어쩌면 하나의 커다란 분기점이 되어 주기를 바라는 마음이 짙어 갑니다. 그것이 위대한 하나의 진리를 깨트리는 것이어도 좋고 영원한 자연의 섭리를 뒤집는 것이어도 좋습니다. 석과 화야를 구속하고 있는 모든 것에서 벗어나 잠시나마 하나의 순수한 자연인이 되어 보고 싶습니다.

많은 세월이 흘러간 후 아름다운 추억으로 되살아나도 좋고 가슴아픈 악몽이어도 좋다고 생각한다면 이해할 수 있을지, 아무튼 엄청난 하나의 질서를 깨트려서라도 변화를 가져보고 싶습니다. 밝은 달빛 아래 나란히 앉으면 높아진 하늘을 채울 수 있을 만큼이나 많은 이야기를 할 수 있을 것 같습니다. 어쩌면 한마디도 말이 필요 없게 될지도 모르겠군요. 그저 바람에 날리는 나뭇잎이나 풀벌레 울음소리에 귀를 기울이면 거기 석이 하고 싶은 모든 이야기가 들려 올 수도 있을 테니까요.

사랑은 어떻게 오는가

11월 3일, 하늘을 이고 떨어져 내리는 낙엽을 밟으며 석남사를 바라보고 오르던 그 길이 많은 시간이 흘러 하나의 추억이 되고 말았군요.

무엇 때문인지 까닭도 모른채, 아니 어쩌면 그럴만한 까닭이 있어 긴 날들을 이렇게 화야와의 대화를 끊고 살아왔습니다. 무슨 마음에 무엇을 이야기하자고 다시 화야를 향해 펜을 잡았는지 모르겠군요. 인간이 가진 능력이 너무 한정적이어서, 또한 인간이어야 하기에 감당해야할 삶의 비극이 있는 것 아니겠습니까?

겸손과 인내를 하나의 미덕이라고 한다면 희생과 봉사는 또 무엇이며 믿음과 존경은 무엇일까요?

'사랑은 주는 것'이라고 하는데 정말 이 사랑은 참다운 사랑이며 행복한 사랑일까요? 어째서 사람들은 '사랑은 괴로운 것'이라고 합니까? 그 괴로운 사랑을 왜 해야만 합니까? 아직은 어떤 누구의 앞에서도 무릎을 꿇을 수 없는 초라한 자존심이 있어 슬픈가 봅니다. 아직은 어떠한 신앙 앞에서도 머리를 숙일 수 없어 괴롭고, 아직은 어떠한 일에도 비굴하게 손을 비빌 수 없기에 또한 이처럼 가난한가 봅니다.

석인 사랑이라는 것을 망각했습니다. 아니 처음부터 없었다고 하는게 좋겠지요. 아직은 그렇게 초라해지고 싶지 않으니까요. 그렇게 비굴해지는게, 그만큼 비굴해져야 하는게 싫어서 말입니다. 그것은 자존심도 아니고 고집도 아닙니다. 다만 숫자로 나타나는 정밀하고 정확한 고성능 계산기에 불과한 것입니다.

'싸움터에 나가서 물러나지 말아야 한다.'는 말은 옛날이야기입니다. 일단 시작한 싸움에는 이겨야 하고 그 싸움에 이길 수 없음을 알았을 때는 먼저 싸움을 포기해야 합니다. 그래야만 적어도 패전의 상처만이라도 줄일 수 있을 것이니까요.

자존심

석이 보낸 편지가 또 행방불명 되었나 봅니다.

차라리 기다리지 말라고 하는 것이 마음을 덜 괴롭게 하겠군요.

끝내 꺾을 수 없는 화야의 그 고집 앞에 석이 져야만 한다면 더는 가난한 석의 초라한 자존심을 비참하게 하지 않기 위해서라도 화야의 그 도도한 자존심을 꺾으려 하지는 않겠습니다. 남의 자존심과 고집을 꺾어 가면서까지 자신의 자존심을 지켜나가야 할 만큼 아직은 석이 초라하지 않습니다. 석이 왜 이만큼 비틀어져 가고 있는지 모르겠군요. 한 인간이, 한 사나이가 비틀어지는 가능성의 넓이가 어느 정도인가 하는 것을 생각해 보셨습니까?

석은 자신이 생각해도 놀랄만큼 엄청나게 크고 넓게, 도저히 건잡을 수 없을 만큼 비틀어질 수 있는 요소가 있다고 생각합니다. 타인으로 부터 받는 미움과 저주가 부족하면 스스로 살을 에어낼 만큼 자신을 학대할 수도 있고 미워하기 위해서 미워할 수도 싫어할 수도 있습니다. 그것이 자신을 영원한 암흑의 구렁텅이로 떨어트리는 일일지라도, 일생을 후회와 슬픔과 바꾸는 결과일지라도, 석은 능히 저지를 수 있습니다. 어쩌면 정신세계가 그만큼 위험한 것인지도 모릅니다. 다만 화야가 조금씩 석을 잃어 가고 있다고 생각하면 되겠군요. 석인 떠나지 않는데, 화야가 싫어하지 않는데 화야는 석이를 잃고 있는 것입니다.

석은 치미는 감정을 소화 시키는 것에 길들어 있지 않나 봅니다. 아직은 꿈과 현실의 거리가 너무나 멀게 떨어져 있습니다. 꿈이 그만큼 화려하고 찬란한 만큼 현실이 이처럼 비참하고 괴로운 것 아닙니까? 남동생이 지어주는 어설픈 끼니를 먹고 때 묻은 베개 위에서 새겨보는 그 꿈이 얼마나 서러운 것이겠습니까?

판단력

기다리지 않기로 마음먹은 화야의 글을 어제 11월 18일 받았습니다. 여느 때 같으면 화야의 편지를 놓기가 바쁘게 답장을 서둘러 썼을 터인데, 그것도 마음 가득 충만해 있는 수 없이 많은 즐거운 대화들을 정리하기에 여념이 없었을 것인데 지금은 그렇지도 않군요. 답장을 써야 하느냐? 아니 그냥 그대로 화야의 이야기만 듣고 이대로 침묵을 지키느냐? 무엇 때문에 이런 것에 마음을 써야 하는지, 어떻게 해서 이런 문제를 생각해야만 하게 되었는지 모르겠군요. 하지만 화야의 그런 마음을 영 이해 할 수 없으리만큼 석의 마음이 둔하지는 않습니다. 어쩌면 너무 잘 알기 때문에 이런 문제로 마음을 써야 하는지도 모릅니다. 무참하게 자신을 학대하고 싶은, 누구에게선가 서럽게 학대받고 싶은 그런 석의 심정입니다.

가을이 가버리는 것을 화야가 느꼈듯이, 석남사 산길을 내려오면서 조그맣고 까만 열매를 찾던 그때 석은 이미 가을을 잃었습니다. 서쪽 하늘을 곱게 물들이던 노을마저 그 붉은 자락을 걷고 가면 어둡고 긴 밤이 시작되는 것 아니겠습니까? 빨간 단풍을 날리며 가을이 가면 삭

막한 대지 위엔 하얀, 싸늘한, 어두운 겨울이 찾아오겠지요.

아침 여섯 시 이십 분과 오후 일곱 시 이십 분에 출근하고 퇴근하는 차창 밖에는 어둠 뿐 다른 아무것도 보이는 것이 없습니다. 하늘대던 유엔 묘지 근처의 코스모스도 보도에 내려앉은 플라타너스의 마른 잎도 소리없는 어둠 속에 자취를 감추고 없습니다.

오늘 또 결국 화야에게 띄울 편지를 쓰지 못하고 말았군요. 판단력을 잃었습니다. 이래서 또 하나 용기를 잃어 가고 있나 봅니다. 아니 또 하나의 귀중한 판단력과 용기를 화야에게 빼앗겼나 봅니다.

눈에 보이는 작은 것

저녁 밥상을 물리기가 바쁘게 잠자리에 들어 아주 깊게 잠이 들었습니다. 저녁에 동생이 미리 지어둔 그 싸늘한 밥을 아침 잠이 채 깨기도 전에 먹는 둥 마는 둥, 발을 내딛기조차 어려운 복잡한 통근차에 끼어들어 몸이 흔들리며 석의 일과는 시작되는 것입니다.

무엇을 위하여 무엇을 하는지도 모르고 그냥 그렇게 하루를 시작하고 또 하루를 보냅니다. 화야에게 보낼 답장 편지를 써 두고 부치지도 않았습니다. 그 이유를 나 자신도 알 수가 없습니다.

모든 일에 의욕을 잃고 정신이 나간 사람처럼 목적 없이 시간에 얽매여 살고 있습니다. 석이 이만큼 충실하게 시간에 순종해 주면 그 시간이라는 것도 약간의 의리라도 있는 놈이라면 시간의 흐름에 따라 여러 가지 일들을 하나씩 해결해 주지 않겠느냐고 기대해 보는 것입니다. 오늘 하루가 이렇듯이 내일 또 오늘처럼 같은 하루가 있을테죠. 밀려간 그 해변엔 또다시 파도가 밀려오듯이 말입니다. 낙엽이 진 그 산엔 다시 파란 잎이 돋아나듯이요.

깊은 사랑을 받고 그 사랑에 한없이 취해보고 싶었던 마음도 한갓 마음의 사치와 허영이라고들 말하지 않습니까? 석이 너무 욕심쟁이라 남에게 주지않고 또 주기를 꺼리면서 귀중한 남의 것을 바란다는 그것부터가 커다란 모순을 말하지 않습니까? 왜 그렇게들 세상엔 미련하고 바보 같은 사람들만 모여있습니까?

눈앞에 보이는 작은것을 아끼다 그 뒤에 가려져 있는 귀하고 커다란 다른 것을 잃고 있다는 사실들을 왜 모르고 있습니까? 사랑이란 줄 수도 받을 수도 없는 것 아니겠습니까?

뒤늦게 찾아온 추위가 서둘러 옷깃을 여미게 하는군요. 불빛이 찬란한 거리엔 벌써 성탄의 찬가들이 흘러나오고 예쁜 크리스마스카드와 연하장들이 시선을 강요하는 듯합니다.

토요일 저녁, 석에게는 견딜 수 없는 공허와 초조함과 함께 도저히 안정 될 수 없는 그런 시간입니다. 마음 같아서는 지금 당장이라도 화야에게 달려가서 이 시작을 알 수 없는 불안을 털어 버리고 싶은 심정입니다. 밤이 깊어 가면 갈수록 더욱 더 간절히 요구되는 절실한 그 무엇, 지금쯤 화야는 석의 이러한 심정을 외면한 채 고이 잠들어 있으리라 생각하니 더욱 더 안타깝기만 합니다. 앞으로 다가오는 엄동설한의 추위를 우리 둘의 사랑으로 따뜻이 녹여 보고 싶군요.

욕심

사랑하는 화야!

다정하게 들려오던 베갯머리의 풀벌레 울음소리도 골목을 돌아 몰아쳐 오는 차가운 밤바람에 자취를 감추어 버리고 말았습니다.

보도 위에 뒹굴던 플라타너스 나뭇잎도, 석남사 입구 산길에 날리던 빨간 단풍잎들도 지금쯤 한여름 녹음의 서글픈 추억 속에서 쓸쓸히 이 밤을 지새우고 있겠지요. 하지만 그들은 그들 나름의 꿈이 있습니다. 밤이 지나고 또 추운 겨울이 끝나면 새로운 잎이 피어나 못다 한 그들의 꿈을 키워 줄 것입니다.

방어진 바닷가 모래 위에 새겼던 우리들의 발자취들이 수없이 바닷물에 젖었다 말랐다 하면서 새로운 모래성을 쌓아 두었겠지요. 그것들은 망각도 소멸도 아닌 하나의 순환이 아니겠습니까? 그래서 그것은 처음 일수도 또 마지막일 수도 없는 한 과정에 불과하다고 보면 되겠지요. 인간에게 주어진 생이 어느 기간으로 한정되어 있다는 것이 어쩌면 또 하나 신이 주신 섭리라고 생각합니다.

화야! 역시 석이 너무 욕심이 많았나 봅니다 화야의 곤란한 입장을 헤아려 주지 못하고 자신의 고집만 부리고 있었으니 말입니다. 화야와 헤어지고 온 일요일 저녁부터 화야의 기분을 잔뜩 상하게 했나 보군요. 그러기에 석일 다시 찾아 주지 않았으니 말입니다. 그래도 혹시나 하고 시간을 재촉하여 귀가했는데도 오늘까지 삼일 씩이나 쓸쓸한 괴로움에 떨게 하고 마는군요. 하고 싶었던 이야기들, 꼭 해야만 할 그 많은 이야기를 또다시 언제 할 수가 있을까요? 막연합니다. 월요일에도 그랬고 또 어제 화요일에도 그랬으며 오늘도 그러하듯 꼭 화야가 석일 다시 찾아 주리라고 믿고, 석이 기대한 그만큼 실망만 안겨주고 말았습니다.

지금쯤 방어진 집으로 돌아가 있는지, 아니면 아직도 부산에 머물러 있는지 무척 궁금합니다. 석이 화야에게 사과를 해야 옳을지, 아니면 화야가 석에게 사과를 해야 하는지 모르겠습니다. 요즘 석인 왜 이렇게 아무 일에나 무겁게 마음을 써야 하고 줄곧 화가 치밀어 오르는지 모르겠군요. 계절 탓이라고 그 이유를 이야기한다면 웃으시겠지요. 어쩌면 화야의 탓인지도 모르겠습니다. 하지만 석이 자신의 공연한 고집으로 생긴 결과물이라고 생각합니다. 지난 월요일엔 동생들을 데리고 즐겁게 하루를 보내주었다 하니 무척 고맙습니다. 화야가 오전 일찍 올 줄 알았으면 석이도 기다리고 있었을 터인데, 아무튼 미안한 마음 금할 길 없습니다. 다음에 화야를 만나면 꼭 사과하겠습니다. 잠을 이룰 수 없는 밤이 깊어 갑니다. 내일의 근무를 위해서 이제 잠을 청해 보렵니다.

그리운 손길

이만큼 숨이 막히는 것처럼 무료한 밤을 맞이해 본 일도 없었습니다. 이처럼 모든 것을 다 잃어버린 것처럼 허황하게 빈 가슴을 안고 외로움에 떨어 본 일도 진정 없었습니다.

석에게서 빼앗아 갈 것이 얼마나 남아 있는지, 더는 무엇을 얼마나 더 잃어야만 하는 것인지 미칠 것만 같은 괴로움뿐입니다. 인간의 기본적인 모든 윤리, 현실적 사회에서 잠시나마 벗어날 수만 있다면 하지만 그것은 한갓 꿈이겠지요. 괴롭고 슬픈 꿈입니다. 그것이 아름다우면 아름다울수록 찬란하면 찬란할수록 더 괴롭고 더 슬픈 꿈일 수밖에 없습니다. 차라리 꿈꾸지 않는 밤을, 영영 어둠만으로 이어지는 그 밤을 맞이해 보고 싶군요.

인간의 모든 단점을, 남자의 모든 약점을 다 짊어진, 그 십자가의 무게에서 벗어날 수가 없습니다.

화야, 무엇이라도 한마디, 꼭 한마디만 이야기를 해 주십시오. 석의 이 무거운 침묵을, 닫힌 마음의 문을 흔들어 주십시오. 결코 화야가 싫고 미워서가 아닙니다. 아니 싫어할 수가, 미워할 수가 없습니다.

자꾸만 짙은 고독의 구렁텅이로 빠져드는 것 같은 감정입니다. 석을 포근히 감싸 주어야 할 그런 사랑이 있어야만 합니다.

화야! 석인 지금 꼭 엄마의 품을 그리는 어린아이처럼 따뜻하게 안겨질 품이 그리운 것입니다. 태울듯한 이 목마름을 풀어줄 생명수가 필요합니다. 싸늘하게 식어가는 나의 이 초라한 두 손을 꼭 쥐어 감싸줄 사랑스러운 손이 있어야 합니다.

사랑하는 화야! 길을 잃고 방황하는 석의 마음을 꼭 붙잡아 주십시오. 깊고 아늑한 그 가슴에 머리를 묻을 수 있도록 가슴을 열어 주십시오. 평화스럽게 잠들 수 있는 밤을 석에게 허락해 주시기 바랍니다.

금년도 노벨문학상을 받은 일본인 작가 가와바다 야스나리의 작품 속에 흐르고 있는 그 인간의 기억과 망각, 소멸의 순간을 아버지의 소상제 영령 앞에 무릎을 꿇고 앉아 밤을 새우며 되새겨 보았습니다. 기억이라는 것부터가 현재도 미래도 아닌, 다만 과거에의 한 변천과정이 아니겠습니까? 기억이라 하지 말고 차라리 추억이라 바꾸어 보면 좋겠지요. 과거의 어느 한 때 있었던 일을 생각하고 있는 것, 그것이 차차 더 먼 과거가 되면 잊어버리게 되는 망각의 순서를 지나 좀 더 오랜 시간이 흘러 없어져 버린다는 소멸, 기억하고 있던 사람이 그것을 잃으면 망각, 기억하고 있던 사람 자체가 없어져 버려 망각할 사람도 없으면 그것은 소멸이겠지요.

망각이란 정신적으로 잊어버리는 것 아닙니까? 하지만 잊을 수 없으면서 슬픈 망각을 다짐하는 것입니다.

여러 가지로 겹친 피로 때문에 오늘은 출근하지 않았습니다. 내일부터 또다시 착실한 하나의 생활인으로서 살아갈 것입니다.

펵 오랜만에, 그러니까 석남사에서 돌아온 후 꼭 사십일 만에 화야에게 보낼 편지를 써서 부쳤습니다. 우리에게 이 한 해가, 어쩌면 이십 몇 년간씩 살아온 긴 세월의 한 굴곡점이 될 수도 있는 아주 중요한 이 한 해가 다 가기 전에 화야를 만나고 싶은 것입니다. 많은 이야기가 석의 가슴 가득히 도사리고 있습니다. 어차피 평생을 혼자 살아갈 수 없는 인간이기에 어딘가 한 곳에 정착해야 하나 봅니다.

석의 편지를 받고 화야의 반응이 어떠한 것일지 펵 궁금하군요.

아무튼 꼭 화야가 석의 바람대로 찾아와 주었으면 좋겠습니다.

크리스마스 이브

12월 24일.

좀 더 정확하게 말하자면 크리스마스이브 오후 10시 20분.

석이 자리하고 앉은 이 빈약하고 서글프나마 오직 '떳떳한 우리 집'에서 방학을 하자마자 오늘 바로 하향해 버린 동생으로 하여 어쩔 수 없이 석은 또 혼자 덩그러니 빈 방에 자리 잡았습니다.

석이 퇴근하여 돌아오기 전에 석열이가 다녀간 모양입니다. 여덟 시쯤 서면에서 만나자고 쪽지를 남기고 갔는데 석이 집에 왔을 때는 아홉 시쯤이었으니 그것도 필요 없는 약속이 되고 말았습니다. 지금쯤 크리스마스이브의 밤거리가 호화스럽겠지요. 하지만 석인 이대로 아무도 없는 이 방에서 쓸쓸히 성탄 전야를 맞이하고 또 보내렵니다.

오늘 밤, 한 번쯤 교회에 나가 보고 싶었었는데 지금은 그럴 생각도 없군요. 국민학교에 다니던 어린 시절 친구들과 같이 교회에 다니며 크리스마스 날엔 노래도 하고 또 연극도 하고 즐겁게 보냈던 적도 있었습니다만 제대로 자란 후 지금까지 크리스마스라고 하여 특별히 달라진 아무것도 없었습니다. 2, 3년 전에만 해도 카드 몇 장쯤 보내져 와서 그것이 크리스마스 소식 정도로 가볍게 마음을 두드리곤 했었는데, 이번엔 그것마저도 없어져 버리고 말았나 봅니다. 그래서 카드 한 장도 준비하지 않았습니다. 이런 것으로 하여 마음에 동요를 느끼지는 않습니다. 으레 그래야만 할 것이 그렇지 않기에 조금 허전할 뿐입니다.

화야! 사랑하는 나의 화야! 화야에게 줄 선물을 하나도 준비하지 못했습니다. 그러나 석인 가장 귀하고 큰 선물을 하려고 합니다. 나는 나의 마음을 당신께 선물하겠으니 당신은 당신의 마음을 나에게 주십시오.

동생 옥현이가 만들어 두고 간 작은 저 크리스마스트리가 어째서 자꾸 슬프게만 보입니까? 오늘 같은 날 혼자 내버려져 있기 때문이라고 여기렵니다. 벌써 열 한시가 되어가는군요. 성가대의 새벽 찬송 소리가 듣고 싶어집니다.

어머님이 오늘 못 오시고 마는군요. 화야와의 약속을 또 어기게 될까 걱정되어 늦어도 내일까지는 꼭 이곳에 도착하시도록 연락을 해두었습니다만, 만약의 경우 오시게 되면 어떻게 할까요?

이번에는 기어이 석이 혼자서라도 가겠습니다. 석이 혼자 간다면 그것도 곤란한 일 아니겠습니까? 어머님은 내일 꼭 오실 것입니다. 그래서 석이와 함께 화야를 보러 가는 것입니다. 석의 마음과 같이 어머님 마음에도 꼭 드셔야 할 텐데, 그래야 어머님의 마음이 더욱 즐겁지 않겠습니까? 어머님의 즐거움 그것이 바로 석의 즐거움이어야 하고 또 화야의 즐거움이어야 하지 않겠습니까?

화야는 이 밤 어떻게 보내시는지, 다정한 친구들과 같이 어울려 즐겁게 보내는지 아니면 가족들과 함께 놀다가 지금쯤 좋은 꿈을 꾸고 있는지, 아마 석이가 이렇게 화야를 향해 펜을 잡고 있는 줄도 모르겠지요. 퇴근길에 술이라도 한잔하자고 권하는 친구들이 있었습니다만 웬일인지 오늘은 그냥 혼자 있고 싶었습니다. 썩 잘한 일이라고 생각합니다. 이렇게 맑고 성스러운 마음으로 화야만을 위해 시간을 가질 수 있다는 것이 마음 흐뭇합니다.

오늘따라 친구들과 모임이 있다고 영순이도 오지 않는군요. 할 수 없이 석이 난생 두 번째로 자신의 저녁밥을 지었습니다. 생각했던 것보다 잘됐습니다.

하지만 역시 여자가 할 일은 여자가 해야 하는 것 아니겠습니까? 그리고 그 이상의 따뜻한 정이 스며야만 한다고 생각했습니다.

이제 돌아오는 내년 오늘에는 화야와 둘이 정다운 크리스마스 이브를 마음껏 즐겨 보렵니다. 화야가 꼭 갖고 싶은 좋은 선물을 미리 몰래 준비해 뒀다가 화야 손에 건네주면서 활짝 웃는 그 모습을 꼭 보고 싶습니다.

손목에 채워진 시계가 열 한 시 반을 가리키고 있군요. 석이 처음 방어진엘 다녀온 후 그때부터 오늘까지 넉 달 동안 항상 석의 잠자리 머리맡에 놓인 채 석의 넋두리를 옮겨주던 이 노트와 이별도 이제 앞으로 30분 밖엔 남지 않았군요.

언젠가 화야와 약속한 대로 크리스마스에 화야에게 전해줄 것입니다. 석의 마음을 온통 다 담아 싣고 있는 이 선물을 기쁘게 받아 주시기 바랍니다. 라디오에서 화이트 크리스마스의 음률이 흘러나오고 있습니다. 이렇게 내일의 걱정을 털어 버리고 오롯이 밤을 새워 보고 싶습니다. 석에게 주어진 그 25시의 가치를 최대한 펼쳐 보렵니다. 밤이 이렇게 깊었는데, 거리엔 많은 사람이 쏟아져 나와 있겠군요. 모두가 다 석이와는 아무런 상관이 없는 사람들이라 생각합니다.

화야가 곁에 있다면 밤을 꼬박 지새우기라도 해 보고 싶습니다만 석이 혼자이기에 그럴 필요도 없어졌군요. 늘 내일의 근무가 걱정되어 잠을 청했었는데 오늘은 그렇지도 않습니다. 요즘은 상당히 여러 날 동안 꼭꼭 제 시간에 출근했습니다. 그래서 한 번도 아침밥을 집에서 먹어보지 못했지만 말입니다. 저녁에도 내일 먹을 도시락을 두 개씩이나 미리 담아두고 있습니다.

열한 시 사십오 분이 조금 지났습니다. 이제 잠시 후면 성탄일이 되는군요. 교회 어느 한쪽의 구석 자리에서 아주 절실한 소망을 기도드리는 그런 모습을 상상해 봅니다. 만약 화야가 그렇게 머리를 숙였다면 그 기도가 어떠한 것일지, 또 석이 그렇게 무릎을 꿇고 앉았다면 그 속에 가득한 소망이 무엇이어야 할지를 생각해 봅니다.

다만 석일 위해서 존재해줄 화야! 꼭 화야만을 위해서 살아줄 수 있는 석이 되기를 빌어 보렵니다. 좀 더 길고 많은 시간이 흘러간 후에, 우리 둘이 하나 같이 간직하고 있을 여러 가지 추억 가운데서 지금까지의 것은 모두 하나의 시작을 위한 준비과정이었다고 기억되기를 희망합니다.

벽을 가볍게 물리며 벽시계가 종을 치기 시작하는군요. 틀림없이 열두 번을 치겠지요.

화야! 사랑하는 화야! "메리 크리스마스" 성탄절을 맞이하여 고귀한 신의 은총이 화야에게 주어지기를 축원합니다.

오랜 세월 동안 키워온 그 찬란한 꿈의 결실을 우리 같이 굳게 영글어 봅시다.

화야 그럼 이 밤 하나님께 가장 귀하고 보배로운 선물 받기를 바라며 안녕.

이화연가

梨花戀歌

5부
일기로 전하는 편지

– 梨花

지금 나는 저 멀리 당신의 모습을 그리며 창가에 앉았습니다,
아직 당신의 목소리가 들리지 않는 나의 주변엔 기다림이
사연인 양 초저녁의 시원한 바람이 차갑게 스며듭니다.
먼 곳에 있다고 믿기엔 거짓말인듯 안타까운 마음만 가득합니다,
그리움에 겨워 후다닥 문을 밀치고 밖으로 뛰쳐나와 보지만
바람은 더욱 차갑게 불어오고 눈물젖은 그리움만 옷깃을
적시옵니다.

무소유에서

세상의 여인들을 보라,

고백이 시작되는 순간부터 벌써 거짓부렁을.

사랑으로 충족된 마음을 가져보지 못한 릴케, 언제나 사랑하는 사람을 멀리하므로 가까운 사람과 고독을 가진 그가 아니었던가?

이러한 공백을 우리는 슬퍼할 까닭이 없다.

나의 마음의 공백은 마침내 소용돌이치기 시작했다. 그 소용돌이는 일체 외부와 단절된 흐르는 의식이라는 것을 깨달아야 한다. 며칠을 심하게 앓고 난 탓인지 아직 무엇인가 해 보고 싶은 것이 없어진다.

나는 그대를 사랑하노라.

하고 싶어 하는 사랑이매

그대에게 구하는 바 없노라

나는 내 모두를 그대에게 주노라.

주고 싶어 주는 것이며

그대에게 구하는 바 없노라.
그대 만일 나를 사랑하면
기쁘게 받겠노라.
그러나
나는 그대에게 진실로 구하는 바 없노라.

-무소구에서

오늘 석의 다정한 편지를 보고는 울어버렸다. 나를 그토록 생각해주는 사람인 줄은 몰랐다. 그렇지만 답장을 번번이 늦게 해주는 나를 얼마나 원망하고 계실까? 항상 나의 성의가 부족하다고 생각하시겠지.

창가에 앉아

지금 나는 저 멀리 당신의 모습을 그리며 창가에 앉았습니다.

아직 당신의 목소리가 들리지 않는 나의 주변엔 기다림이 사연인양 초저녁의 시원한 바람이 차갑게 스며듭니다.

먼 곳에 있다고 믿기엔 거짓말인듯 안타까운 마음만 가득합니다.

그리움에 겨워 후다닥 문을 밀치고 밖으로 뛰쳐가 보지만 바람은 더욱 차갑게 불어오고 눈물젖은 그리움만 옷깃을 적시웁니다.

땀이 밴 작은 가슴에 당신이 내게 주신 그 한 권의 책을 안고 어디론가 향해 걸어봤습니다. 그냥 걸었습니다.

석! 지금 밤의 시계 초침은 더욱 분주해지고 있습니다.

화야는 당신이 계신 곳을 향해 안녕을 고합니다. 뜨거운 입김으로.

믿음

아무리 생각해도 석이 이곳에 오기란 힘들것 같고 내가 꼭 한 번 만나러 가야 한다. 모든 걸 확 털어버리고 와야 한다.

이렇게 무거운 마음을 말이다.

석일 믿는다. 그래서 끝까지 따르리라고 다짐한다. 이렇게 다정히 보내주는 편지를 볼 때마다.

나에게 무언가 불만이 있어서 답장을 해주지 않는 것은 아니리라. 석의 그 맘도 모르는 바는 아니다.

하나 '어떻게 해야 하나' 또 울어버리고 싶은 맘이다. 추석에 같이 가자고는 하지만 어떻게 그럴 수가 있을까? 가고 싶긴 하지만 참아야지. 그래야만 먼 훗날 더욱 화려한 모습으로 찾아갈 수 있으리. 새삼 석의 사랑을 얻었다는 기쁨이 가슴을 터지게 한다.

당신을 따르리라고

석!

오늘은 당신을 향해 마구 소리라도 지르고 통곡이라도 하고 싶습니다. 이렇게 가슴이 터질 것만 같으니 어떻게 하란 말이에요.

이토록 괴로운 맘으로 시간을 보내고 있는 나를 어떻게 하시겠어요? 이대로 견디다간 미쳐버리기라도 하겠어요. 오빠의 그런 모욕적인 언사들이 어디 있단 말입니까? 차라리 죽어버리고 싶은 맘입니다.

석, 당신이 날 이렇게 지키고 있는데, 내 모든 몸과 맘을 바쳤기에 아무것도 돌아보지도 않고 나는 당신을 향해 문을 열 것입니다.

이것이 지금의 나의 심정입니다.

오늘 작은 오빠와 하찮은 일로 다투었답니다. 추석명절에 그렇게 마음의 상처가 되는 충고를 하지 않고는 안되었을까요? 충고라기보다 꾸짖음이였었지요, 늘 내게 뭔가를 기대하고 있는 가족들이 오히려 미워집니다. 아무리 기대해도 나는 자신이 없답니다. 남들이 인정해주지 않는데 나만 잘난 체하면 무얼 하겠습니까? 오늘은 스스로 행복을 찾겠다고 반항을 표해버린 날입니다. 오빠는 실망했을 것입니다. 좀 더 꿈을 가져보라 하시며 떠나셨어요. 하지만 석을 향한 내 맘은 변하지 않습니다. 꼭 당신을 영원히 따르리라고.

망설여지는 마음

내게 모든 걸 비밀에 부치고 어머니와 석열이 오빠가 모종의 의논을 했었나 봅니다.

못난 화야의 결혼에 누구보다도 기대가 크신 어머니, 누차 내게 물으셨는데 답을 제대로 해드리지 않으니 석열이 오빠에게 물어보셨던 모양입니다. 나 역시 하루빨리 석, 당신을 떳떳이 집안 식구들에게 인사드리게 하고 싶지만 자꾸만 망설여집니다. 어머니는 항상 내 편이시지만 큰오빠께서 어떻게 받아들이실지 의문이기 때문입니다. 아니, 두렵기만 합니다.

나보다 언니가 더욱 마음 졸이는 모습이 눈물겹도록 고맙게 여겨집니다. 이모님께서도 도와줄 터이니 빨리 어떻게 해보라고 하시지만 화야는 좀 더 생각해봐야겠습니다. 한 번 당신을 만났으면 싶습니다. 벌써 당신이 그리워집니다. 왜 당신은 편지를 보내지 않을까요? 이상한 생각이 드는군요.

바다에 새긴 글

오늘은 당신이 주시고 간 가곡집을 안고 학교에 갔습니다.

제법 오랜만에 오르간에 앉아서 건반을 두드렸어요.

꼭 석, 당신의 목소리를 다정하게 듣듯이.

운동회 준비로 다들 운동장으로 나가 버린 교무실은 텅 비어 있었습니다. 몇 번 째 그렇게 교무실을 들어갔다 나갔다 해보았지만 마음은 왠지 우울하기만 했습니다.

석과 화야 둘이 황홀히 수평선을 바라보던 바다가 그리워졌습니다. 자리를 박차고 일어나 그 곳으로 달려갔습니다. 주위엔 온통 어둠이 내려 하얗게 부서지는 파도의 포말만이 눈에 들어왔습니다. 백사장에 손가락으로 '석, 빨리 와요~' 하고 새겨 놓았다 지워버리곤 했답니다.

집으로 돌아오는 길은 왠지 모르게 힘이 빠지고 마음이 편하지 않았답니다.

아마 오늘도 당신의 편지가 오지 않았다는 이유일 것입니다.

화야의 다짐

당신을 만나러 가리라 마음의 결정을 지었습니다.

그리고 앞으로의 계획도 구체적으로 의논을 해야겠습니다.

또 석열이 오빠가 무슨 얘기를 했을지도 궁금하구요.

나는 당신과 함께라면 모든 걸 이해하고 사랑하며 살아갈 용기가 있습니다. 형제가 아무리 많으면 어떻습니까? 지금의 생각으론 화야만 희생하면 다들 화목하게 살 수 있지 않을까 하는 생각입니다. 오히려 한 가족이 모여 행복하게 살 수 있도록 내가 그리 한 번 만들어 보고 싶다는 의욕이 가득합니다.

깨끗한 집 주위며 정성 들여 만든 음식을 온 가족이 행복하게 나눠 먹으며 정겨움이 그득한 그런 가정을 말입니다.

이제 가을도 깊어지고 언제까지나 꿈속을 헤매는 철없는 소녀로 살 수 없다고 여겨집니다.

영순이의 편지를 받을 때마다 나를 따르고 있다는 안도감도 있으나 과연 영순이가 바라는 그런 좋은 언니가 되어 줄 수 있을지가 의문스럽습니다.

석! 화야는 이렇게 석이 생각날 때마다 노트를 펴서 마음을 적고 있습니다. 한 줄 한 줄 칸을 메울 때마다 석의 생각으로 가슴이 벅찹니다. 조금만 더 기다려 주세요. 이번 일요일엔 제가 그곳으로 가겠습니다. 둘이 웃으며 못다한 이야기들을 다정스레 나누고 싶어요. 끝끝내 편지는 하지 않으실 작정이십니까? 혹여 내게 마음의 부담 같은 걸 느끼게 할까 봐서인가요? 화야는 이렇게 바다를 바라보며 내내 당신의 건강과 가정의 행운을 빌고 있습니다.

환절기에 부디 몸조심 하셔야해요.

선명해지는 현실

가을이 갔습니다.

한 가닥의 꿈마저 잃어버린 채 내게서 멀리 떠나 버렸습니다,

흐르는 세월만이 가슴 아픈 상처를 씻어 줄 수 있는 처방입니다. 시간이 지날수록 선명해 지는 건 현실뿐인 것 같습니다.

황금빛 들판에서 가을을 읽고 길 옆 하늘거리는 코스모스 꽃잎에서 훈훈한 누군가의 체취를 맛볼 수 있다는 건 얼마나 다행스러운 일이던가요? 이렇게 아름다운 꿈이 실현되는 이 순간들을 나는 행복하다고 말할 수 있을 것입니다. 쉬지 않고 흘려보낸 시간들이 아쉽기만 하지만 이제부터는 오직 석, 당신만을 위해서 살아가리라 생각하며 마음을 다독입니다.

매일 매일을 생각했던 석의 편지였지만 이렇게 매정하게도 왕래를 끊어버리니 무슨 마음인지 까닭을 알 수가 없습니다. 혹 무슨 오해라도 있었단 말입니까? 그렇다고 내가 먼저 하고 싶진 않군요. 석 당신

역시도 같은 마음이겠지요?. 제법 오랜만에 소라 언덕에 갔었답니다. 고이 간직한 사랑을 이대로 그냥 떠나보낼까 싶은 마음이 생기기도 했었습니다. 하지만 당신과 함께 마음을 나누던 이곳을 어떻게 아무렇지도 않게 잊어버릴 수가 있단 말입니까? 금요일 저녁이면 꼭 당신을 만난다는 기대를 안고 그 곳으로 달려가곤 했었는데…. 당신이 그리울 때면 다정스레 찍은 사진을 자주 꺼내 보며 픽 웃곤 하는 요즘입니다. 지금도 사무치게 당신이 그립습니다.

그를 위해 존재하는 나

멀고 무거운 침묵 속에 조약돌을 던지듯 마음을 던져본다.

내가 환상에 졸고 있었나 보다.

그와 헤어진 지 몇 시간, 차라리 깊은 침묵, 아님 오랜 재회였으면 내 감정이 좀 더 나았을까?

웃지 못할 넌센스, 이것이 바로 인생의 참모습인가?

먼 훗날 언젠가 오늘의 약속을 기억해 보리라. 모든 젊은이들처럼 들뜬 마음에 사리분간 못하고 헤매는 행위라고 해석하셔도 부정 못하겠지만 나의 내면에서는 그렇지 않다고 우기고 싶어진다. 먼 훗날 그와의 다정한 대화가 오고 가는 날을 기약해본다. 새삼 한 사람과의 운명 같은 만남에 대해 생각해본다.

역시 석열이 오빠로부터 뜻하지 않은 마음의 공격을 받은 모양이다. 하지만 나로서는 어떻게 해야 하는지 아무리 생각해 보아도 내겐 다시없는 기회라 여겨진다. 아니 내 집안 식구들 전부에게도 기회라 생각된다. 과연 어떻게 해야 가족들의 마음을 흡족하게 해 드릴 수 있을까 생각해 본다. 큰오빠가 쾌히 승낙만 해주신다면 그다음에 다가올 어떤 괴로움도 꾹 참고 견디어 나갈 자신이 있다. 여자라면 누구나가 그 환경에 순응하고 살아야 할 것이다. 감정이 이성을 지배하기 전에 모든 걸 알아서 처신하고 신중히 생각해야 할 것이다. 내 젊은 시간을 이렇듯 갈등 속에 무의미하게 보낼 순 없다. 주어진 한평생을 내 젊음을 발산하여 더욱 아름답게 만들어 가고 싶다. 그를 위해 존재하는 의미 있는 생활들을 만들어 가고 싶다.

머무는 동안 후회없이

꼭 먼저 편지를 하겠다는 약속대로 그를 만나고 와서 내가 먼저 보낸 편지, 오늘은 받아 보았으리라.

요즘 석의 생활은 어떠한지 궁금하다.
오늘도 화야를 향해 글을 쓰고 계실지도 모른다.
11월 3일은 꼭 그와 마주 앉아야지.
그때까지 기다리기엔 너무 오랜 시간이다.
그땐 꼭 어디 가까운 산으로라도 가고 싶은데 잘 될지 모르겠다.
자주 미안한 생각이 된든다. 항상 내게 충실하기만 한 그이에게 나는 어떤 사람인가?

지금부터 농번기가 시작되고, 또 다시 정신없이 바쁜 생활이 전개될 것이다. 내가 이 집에 머물고 있는 동안만이라도 힘껏 집안 일들을 도와야 한다. 어쩜 올가을이 마지막이 될지도 모르는 이곳 생활을 좀 더 알뜰히 돕고 후회 없이 떠나고 싶다. 농번기가 끝난 뒤에는 용기를 내어서 꼭 석의 어머님을 이곳으로 한 번 모셔야 하리라.

마음이 초조하다. 온갖 불안한 잡념들이 머릿속을 스친다.

지금 내 숨결은 마치 우둔한 짐승인 냥 거칠기만 하다.

거울 속 웃는 얼굴

독백, 뭔지도 모르고 그저 마땅찮을 때 한 번 중얼거려 보는 거다. 솔직한 마음의 폭로, 그냥 들어주는 사람 없이 혼자서 중얼거려 보는 것이다. 현실은 어차피 무시할 수 없는가 보다. 이상만으로는 만족할 수 없는가 보다. 한동안 난 실체 없는 이상 속에서 나름대로는 억세게 살아가려는 자아의 충실한 욕망이 있었지만 돌아오는 건 실망 뿐, 어차피 현실을 탈피하려는 어설픈 인간의 본능을 내가 너무 일찍 깨달았는지도 모른다.

시간과 공간 사이 우연히 알았던 한 사람과의 인연, 인연이란 이렇게 무서운 건가? 어느 땐 반항심에 내 마음을 송두리째 앗아간 한 사람으로부터 벗어나려는 나약한 내가 되어버린다.

한 인간을 묵묵히 생각한다. 희미하고 몽롱한 의식 상태에서 흙탕물에 빠져 허우적대는 듯한 내 마음이 답답하기만 하다. 젊음과 정과 사랑을 허탈하게 내보내려는 초인간적인 이념을 존중해야겠다. 서로 주고받은 동조는 무엇을 위한 건지? 연륜이 쌓인만큼 보랏빛으로 영

그는 아름다운 이름을 새겨 보려고 살아가는 것이 아닐까? 분명 내가 가는 길이 있고, 내가 가야 할 길이 있고, 내가 가야만 하는 길이 있다. 이 길을 꼭 석이와 동행하고 싶긴 하지만 아무리 생각해도.

꼭 같은 얼굴이 마주 보고 찡그린다. 너무나도 참을 수 없는 슬픔과 고독이 엄습해오기에 끝내 두 얼굴은 차갑게 흐느끼고 만다. 찢어진 문틈으로 싸늘한 달빛이 불법 침입하고 조소라도 하듯 싸늘하게 두 얼굴에 비친다.

다시 두 얼굴은 웃어야만 한다. 행복을 생각하는 순간을 위해서, 언젠가는 거울 속에 환하게 웃고 있을 새로운 하나를 위해서.

앞의 얼굴이 흐뭇하게 웃는다. 오늘도 나는 다른 하나의 웃는 모습을 보기 위해서 거울 앞에 얼굴을 마주해 본다.

조용한 일상

고된 하루하루가 계속되는 요즘이다.
늦게까지 부엌일을 하고 방으로 들어왔다.
잠이 들기 전에 또 그를 향해 마음이 달리고 있다.

오늘은 벼 타작을 했다. 햇볕이 따갑게 내리 쪼이더니 금방 먹구름이 성을 낸 듯 굵은 빗방울을 마구 떨어트리기도 했지만 괜찮았다.

어머님이 계시지 않는 방안은 조용하기만 하다. 지금쯤 석은 무얼 하고 있을까? 막 퇴근을 해서 저녁밥상 머리에 앉았을 것이다. 동생이 정성 들여 장만한 찬이며 밥그릇을 마주하고 있을 것이다.

편지를 기다린지 벌써 며칠, 아직 우체부의 모습이 보이지 않는다.
사뭇 애를 태운다.

갈피를 못잡고

어쩜 석이 곁을 떠나는 것이 석을 위하는 것이 아닐까?

가슴이 터지더라도 떠나야지, 그래야 석이가 행복하지.

갈피를 잡지 못하는 마음이다.

기회를 보아서 꼭 석이와 어머님을 초대하리라. 이모님과 의논을 해서 말이다. 내 생활에 너무 관심이 많으신 내 집안 식구들이 오히려 미워진다. 이게 다 부질없는 생각이겠지만 어떤 일이 있어도 화야는 훌륭하게 살아갈 것이다. 하지만 내가 가족들 마음을 얼마나 만족시켜줄까? 실망을 작게 주려니 내 마음이 아프다. 하지만 가족들은 석이만을 위한 내마음을 알고 그렇게 악조건도 아니니 쾌히 승낙해 주리라고 기대를 해본다.

이제 대강 바쁜 일만 끝내고 꼭 석이를 초대하리다. 만약, 만약의 경우에 큰오빠께서 고개를 흔드신다면 어떻게 할까? 경제권이 그에게 있는 한 따르지 않을 수 없지만 지금 난 단단하다. 각오가.

뛰쳐나가 버리고 싶기도 하지만 난 떳떳이 살아가고 싶다.

난 다른 사람들처럼 불행한 인간은 되지 말자 다짐하지 않았던가. 많은 벗과 친지들의 축복을 받으면서 살아갈 것이다.

큰오빠가 승낙만 해주시면 다행이지만 그 반대일 때에는 멀리 떠나 버리리라. 오빠도 엄마도 또 석이도 다 버리고 조용히 떠나리라. 하나 승낙을 하시리라 믿고 있는 마음이다. 거기엔 석이의 숨은 노력도 있겠지? 내게 용기를 불어넣어 주는 힘.

또 하나의 숙제가 있다. 석이 어머님께서 나를 미워하지나 않을까? 석이가 좋아하기에 어쩔 수 없이 승낙은 하셨지만 미워하고 있지나 않을까?

석의 마음 다 알아요. 나를 진심으로 사랑하고 있다는 것을. 하나 어머님과 동생들이 두렵습니다. 어떤 고난이 있어도 당신의 알뜰한 사랑만 있으면 참고 살아가겠지요. 아무리 날 미워하셔도 당신만 그러시지 않으며 돕고 살아가겠어요. 하지만 그분들은 결코 나를 미워하지 않을 거예요. 제가 착하게 순응하면 말이에요. 참 좋으신 분으로 알고 있어요. 어머님께서 저를 한번 보고 싶어 하시니 석, 어머님과 꼭 한 번 저를 만나러 오세요. 네?

당신의 품을 그리워하는 화야입니다.

고마운 이모

오늘 저녁은 마음이 가볍다. 이모님이 집에 오셔서 결혼에 대해 오빠와 어머님께 말씀드렸으니 말이다. 중매는 이모님이 하시는 것 같이 이야기 하시는 걸 들었을 때, 얼마나 고맙게 생각되었는지 모른다. 바쁜 시간에 이렇게 시간을 낭비해가면서 애써 주시니 말이다. 나는 이렇게까지 연극을 하고 있는데 석인 어느 정도 이해를 해주며 협조해 줄까 하고 걱정이 되기도 한다. 난 어떻게 해서라도 석이와 결혼해서 행복하게 살아가고 싶다. 알뜰한 아내가 되고 착한 며느리가 되어서 살아가고 싶다. 며칠 후 석이와 만나면 약속을 하고 와야겠다. 오빠께서도 한번 보자고 하시니.

하지만 전혀 몰랐던 걸로 하려니 그가 곤란하지 않을지 걱정이다.

좀 더 가까이

너무나 밝은 밤이군요.

이렇게 밤마다 파란 일기장을 대하는 게 최대의 낙이 되었습니다.

메아리도 없는 바닷가에서 혼자 조용히 석을 불러 보았습니다. 이렇게 찬란한 꿈만 꾸고 있는 저에게 왜 그렇게도 그리움만 남겨놓았는지요?

석! 15일 틀림없이 부산으로 가겠습니다. 친우의 결혼식에 참석하기보다는 더 석을 만나고 싶군요. 아니 만나지 않더라도 조금이라도 가까운 곳에 머무르고 싶군요.

내일이 고향으로 가신다는 그날이군요. 아버님 산소에도 성묘를 다녀 오세요. 동생들과 어머님을 위해서라도 슬퍼하지 마세요. 부디 무사히 다녀오시기를 빌겠습니다. 그리고 아버님의 명복을 여기서 저도 성심껏 빌어 드리겠습니다.

내일이면 석의 곁으로 가는 날입니다.

그동안 어떻게 지내시는지요?

차라리 편지하지 않는 걸 다행으로 생각하세요. 제가 석의 집으로 찾아가겠습니다.

제가 그곳으로 가는 게 잘못일까요?

지금쯤 고향에서 돌아와 피로를 풀고 계시리라 짐작해 봅니다. 물론 가족 사이에서 중대한 생활문제에 대한 결정도 났겠군요. 참, 마산에 아가씨에 대해서는 믿고 가겠습니다. 그래야 제가 그 자리에서 당황하지는 않을 겁니다. 석의 앞에서 비굴해지지 않기 위해서는 그렇게 해야 하겠습니다. 그렇더라도 석! 저를 너무 냉정히 대하지는 말아 주세요. 차라리 웃는 얼굴로 맞아 주세요. 부탁입니다. 간절히.

그럼 만날 때까지 아듀.

비뚤어지려는 마음

석의 다정한 손짓을 받으면서 무사히 집에 도착했어요.

지금 막 당신에게 카드와 짧은 몇 자의 글을 띄우려고 준비했습니다.

부산에서의 몇 날은 즐거웠습니다. 겨울 바다도 좋았지만 현이와 동물원 구경도 멋이 있었습니다. 26일의 약속을 정하는 지금 저의 맘은 왠지 초조하기만 합니다. 옥현이에게 선물을 한 것도 후회됩니다. 괜히 일이 확대된 것 같습니다. 이런날이 언젠가는 올 줄은 알았지만, 자꾸 자신이 없어집니다. 여기까지 왔다가 실망하실 걸 생각하니 너무너무 가슴이 아파집니다.

석! 아무리 생각을 해도 안될 것 같습니다. 만약 오빠가 반대한다면 어떻게 해야 할까요? 제발 저를 이해해 주세요. 누구보다도 어머님께 죄송하기 짝이 없습니다. 먼 길 오시는데 대접도 제대로 하지 못할 걸 생각하니 정말 괴롭기만 합니다. 저는 어떻게 하면 좋을지 모르겠습니다. 만약 오빠가 기어이 만류하시면 그땐 저의 각오가 단단히 서 있기도 합니다.

이것이 석을 사랑하는 마음을 더욱 굳게 할 것입니다. 그곳 동생들과 석에게 죄를 지을 것 같기도 하지만 최후의 운명이라고 말하고 싶습니다. 한편으로는 제발 아무 말 마시고 다른 사람과 결혼하세요. 저를 몰랐던 걸로 하시고요. 전 괜찮으니까 말입니다. 저를 더는 괴롭게 하지 말고요. 이렇게 말하고 싶은 심정입니다.

석! 아무리 생각을 해도 자신이 없습니다. 차라리 저에게 용기를 주세요. 석의 괴로운 심정을 모르는 바는 아니지만 제가 어떻게 해야 합니까?

차가운 날씨에 식사며 잠자리가 불편한 걸 보고 오니 생각할수록 제 가슴이 찢어질 듯이 아픕니다. 하루빨리 석의 곁에서 석을 이해하고 정성 들여 식사며 동생들을 돌봐주고 싶습니다. 쓸쓸해 보이기만 한 동생들을 봤을 때 저는 아무것도 바라지 않고 오직 석과 온 가족을 위해서 살아가고 싶기도 합니다. 그러나 어떻게 될지 빨리 그날이 왔으면 하고 초조히 기다립니다. 모든 건 운명에 맡기기로 하겠습니다. 이미 각오한 마음이니까요.

그러나 석! 저는 분명히 보았습니다. 차라리 그걸 보지 않았다면 이렇게 마음이 섭섭하지는 않을 겁니다. 당신만을 기다리며 사랑하는 저에게는 그동안 편지도 없었고, 이효영이라는 아가씨에게 써 놓은 편지를 보았으니 어떻게 할까요? 왜 그 문제에 대해서는 해명을 하시지 않고 묻어 버립니까? 지난번 11월 7일 편지에도 왜 아버님 제사 때문에 급히 오셨다가 가야 하기 때문이라고 하셨습니까? 꼭 그렇게 저를 속여야 했습니까? 그리고 끝내 묻어 버릴 것입니까? 물론 그렇게 해야 하는 당신의 입장도 모르는 제가 아닙니다만 너무 하시는군요. 이제 이 해도 마지막을 고하려는 순간 굳이 추궁 같을 걸 하는 건 아닙니다.

아무리 이해하려고 해도 심사가 의심스럽군요. 정말 지워지지 않는 그 날 저의 표정을 누군가 보았다면 정말 이상했을 것입니다. 그 순간 저의 피가 역류하는걸 느끼기도 했습니다. 어느 정도 추측은 했습니다만 그렇지 않기를 바라고 당신 곁으로 간 저인데. 결국 그런 편지를 보고 말았네요.

그러나 석! 모든 걸 이해하려고 노력해 보겠습니다. 인간이면 누구나가 실수를 하는 거니까 한갓 실수라고 이해해 볼게요. 그러니 차라리 사과하세요. 억지로라도 말입니다.

당신이 서두르는 결혼을 협조하지 않는다고 이렇게 하십니까?

나대로 사정이 있어서 미안했는데, 나도 삐뚤어 질거예요.

각오하세요. 먼 훗날 두고두고 당할 줄 알아요.

겁쟁이

내일이면 석이 화야에게로 오는 날입니다. 어머님과 동생도 같이. 지금쯤 부산에 와서 김장을 하시는지, 만약 내일 또 오시지 않으면 난 어떻게 해야 할까요? 20일 석이와 헤어져 오는 날부터 내일을 기다려 온 저예요. 석이 그렇게 멀리서 어머님을 모시고 오실 수 있을까요? 자꾸자꾸 미안한 마음뿐입니다. 어머니와 오빠, 언니가 다들 기다리고 있습니다. 꼭 와 주셔야 합니다. 만약에 오시지 못한다면 그때는 물론 당신대로의 사정이 있긴 하겠지만 꼭 오도록 하세요. 당신만 기다리는 제가 여기 있어요.

23일 보낸 크리스마스 카드는 지금쯤 받으셨겠지요? 옥현이가 보냈다는 카드는 오지 않는군요. 그래도 괜찮아요.

석! 이제 이 해도 마지막을 장식하는 날이군요. 내일 날씨가 좋아야 할텐데 걱정이에요.

석이 다녀간 그 뒤의 모든 일은 제가 처리할게요. 석이도 돌아가셔서 모든 뒷일은 거기서 또 처리해 주세요.

당신의 화야는 이렇게 겁쟁이입니다. 왠지 자꾸만 자신이 없어집니다. 어머님이 저를 싫어하실까봐 그게 제일 큰 걱정입니다. 그리고 승낙하신다 해도 제가 석이 당신의 집에서 그렇게 훌륭한 며느리가 못될 것 같다는 걱정도 생깁니다. 모든 석의 집에서의 생활이 겁이 납니다. 하나 석이의 사랑만 있다면 자신이 생기기도 합니다. 마지막으로 오빠의 승낙 문제도 걱정입니다. 그럼 석이 좋은 꿈 꾸기로 약속하면서 이 밤도 안녕.

가족들의 걱정

이 시각쯤 집에 도착하셨겠지요? 복잡한 차에서 힘드셨을텐데 어떻게 가셨을까 생각 중입니다.

전 당신이 떠난 조금 후에 친구가 찾아와서 같이 걸었습니다. 오늘 있었던 일이며 앞으로의 일도 들려주었습니다. 겨울 날씨답지 않게 포근한 초저녁의 초승달도 좋았습니다. 오랜만에 당신과 걷던 해변과 소라 언덕에도 가 보았습니다. 왠지 마지막 같은 기분이 들기도 했습니다.

석! 어머님과 외숙모님께 저 대신 얘기 잘 해주세요. 먼 길 오셨는데 점심 대접도 제대로 못 해드린것 같아 마음이 편치 않습니다. 오늘은 당신이 조용히 넘겨준 그 일기장을 다 읽어보고 잠들겠습니다. 과연 그 안에는 무슨 글이 쓰였는지 궁금합니다.

오늘 참 잘 오셨습니다. 그 뒤의 모든 일은 제가 처리해야 하겠지요. 자신이 없습니다만 노력하면 되겠지요.

그리고 석이의 마음도 아프시겠습니다. 어머님이 조금이라도 꺼리시거든 얘기를 해주세요. 저는 아무렇지 않습니다. 당신을 위해서라면 무조건 어머님 말씀에 따라야 한다고 생각합니다. 저의 큰오빠는 석이를 좋아하면서도 제가 고생할까 봐 걱정인가 봐요. 하나 제가 괜찮다고 했습니다. 그래도 마음이 당장 끌리지는 않는 것 같습니다. 자꾸 주저 하시는 걸 보아서는 말입니다. 저에게는 한 마디도 묻지 않고 이모님에게 그렇게 얘기하셨나 봅니다.

이곳은 이 정도지만 석이 어머님의 생각도 신경이 쓰입니다. 혹시 저를 미워하시지나 않는지 말이에요.

빨리 편지해 주세요. 어떤 글이라도 말이에요.

저도 하루빨리 당신의 곁으로 가고 싶습니다. 그렇지만 모든 게 마음먹은 대로 되지 않으니 이것이 세상살이인가 봅니다. 우리 둘의 행복한 소망이 하루빨리 이루어지는 날을 손꼽아 기다립시다. 아듀.

잘 할 수 있을까?

오늘도 기다리던 석의 편지는 오지 않는다. 물론 내가 먼저 결과를 보아서 연락해야 마땅한 일인 줄 알면서도 이렇게 기다려진다. 이것도 욕심일까? 아직 집안 식구들은 일체 결혼 문제에 대해서 언급하지 않아 오늘에 이르렀다. 모든 걸 나의 의사에 맡기는 것 같으면서 심장을 뚫는 것 같다. 결론은 31일 작은 오빠가 내려오면 의논해서 빨리 서둘기로 했다. 이렇게 모든 걸 확정했는데도 마음은 자꾸 무거워지고 있다. 동생들과 어머님 또 당신이 바라는 그런 사람이 되어 줄 수 있을까 하고. 하지만 용기를 내어서 결심을 해본다. 당신의 사랑만 있으면 살아갈 수 있을것 같다. 하루빨리 당신의 곁으로 가고 싶다. 어떻게 해야 가장 멋있고 좋은 우리 둘만의 공간을 빨리 메울 수 있을지.

좋은 결과를 기다리며

그렇게도 기대하고 곱게 키워온 우리 둘의 꿈이 실현되는 기회가 오늘 결정났습니다. 어제 서울에서 작은오빠가 오셨고 모든 일을 털어놓고 얘기할 수 있도록 힘을 써주셔서 정말 감사했습니다.

저는 그 자리에서 분명히 얘기했습니다. 꼭 당신 곁으로 가겠다고요. 그래서 온 가족의 동의를 얻었습니다. 오빠와 어머님과 언니의 얘기는 이러했습니다. "너 하나 편하게 하기 위해서는 꼭 좋은 자리라고 할 수 없다. 하나 너의 일인 만큼 네 의사에 따를 테니 훗날 원망 같은 건 하지 않기로 약속하자."고 하더군요.

큰오빠께서도 우리 둘의 이야기를 처음부터 알게 되셨습니다. 작은오빠께서 자세히 얘기했나 봐요. 의외로 큰오빠께서 부드럽게 말씀하셨습니다. 지성인들의 원만한 교제로 오늘에 이르렀으니 제 의사를 믿어주시겠다고요. 어머님께서는 그렇게 먼 곳에서 몸이라도 갑자기 불편하면 엄마의 정성이 없어도 되겠느냐고 걱정하셨습니다. 저는 괜찮다고 얘기했습니다. 석이 당신이 있기 때문입니다.

어머님은 모든 걸 잊어버리고 살아가라고 했습니다. 너무너무 섭섭해하시며 어머님께서는 제가 당신의 어머님을 정성껏 섬기는 게 곧 어머님을 위하는 길이고, 당신 동생들을 알뜰히 보살피는 게 곧 제 동생들을 보살피는 것과 마찬가지가 아니겠느냐고 말씀하셨습니다.

저는 결심했습니다. 최선을 다하여 온 가족의 화목과 건강을 위해서 나 자신을 희생할 수 있다고요. 당신을 위해서라면.

결정의 시간이 1분 1초 가까워지는 시각입니다. 지금쯤 오빠들과 만나서 내일 그곳으로 갈 계획을 세우고 계시겠지요? 저도 꼭 가고 싶었습니다만 마음대로 되질 않는군요. 앞으로 우리의 행복을 위해서 애쓰시는 오빠들께 모든 얘기를 털어놓고 의논해 주십시오. 그리고 하루빨리 당신을 만나고 싶습니다. 하고 싶은 얘기도 있고, 앞으로 펼쳐질 우리 둘 만의 세계도 한 번 설계해 보고 싶습니다.

석! 빨리 좋은 결과를 보내주세요. 계속 눈이 대문에만 가 있습니다. 오빠와 언니가 오는 날은 내일모레인데 말입니다.

당신이 자란 그 고향에도 빨리 가 보고 싶어요. 아버님이 잠드신 그곳에도 빨리 가보고 싶어요. 동생들과 즐겁게 생활도 하고 싶고 어머님을 성심껏 모셔 보고도 싶습니다. 좀 더 인간다운 생활을 해 보고 싶습니다. 그러자면 그 배후엔 당신의 알뜰한 사랑과 협조를 원조받아야 되겠지요. 제발 좋은 소식 오빠께 안겨 보내주세요. 만약에, 아니 만약에 이 조그만 맘에 실망을 안긴다면 그땐 난 어떡해요? 싫어요. 꼭 당신 곁에서 살고 싶어요. 그래서 행복하다고 얘기할래요. 오빠들을 잘 이해시켜 꼭 기쁜 소식 보내주셔야 합니다. 제발, 제발 저를 울리지 마세요. 꼭 부탁입니다. 아니 소원입니다.

석! 당신은 화야가 보고 싶지도 않습니까? 지금은 아마 틀림없이 저를 생각하고 오빠들과 같이 계시리라 생각됩니다.

요즘 생활은 어떠하신지요? 저도 당신께 드릴 알뜰한 정성과 사랑이 담긴 이 일기장을 하루하루 펼쳐보는 버릇이 생겼어요. 맨 뒤에 석의 사진도 있습니다. 저도 이걸 당신에게 선물로 드릴게요. 얌전히 그때까지만 기다려 주세요. 환한 웃음 한 아름 안고 파란 이 노트를 갖고 꼭 당신 곁으로 갈게요. 그럼 기쁜 소식 기다리면서 꿈에 당신을 만나야겠어요. 석, 잘 자요.

파란 노트에 마침표를 찍으며

오늘은 그동안의 마음 졸임을 끝낸 1969년 1월 7일입니다. 그동안 겪은 괴로움은 아예 늘어놓지 않으렵니다. 그저 행복한 마음뿐이니까요. 드디어 당신을 위해 존재하는 화야가 되었으니까요. 빨리 당신 곁으로 가고 싶어요. 우리의 가슴 벅찬 결혼 날이 1월 27일로 정해졌네요. 영원히 영원히 행복을 빕시다. 그래서 올해는 당신과 나의 해가 되도록 우리 같이 노력합시다. 이제 제가 할 일은 어머님을 존경하고 동생들을 돌보며 또 당신을 이해하고 아니, 남편을 섬기고 또 엄마 노릇도 해야 하는 것이겠지요. 아이 몰라요.

여기서 파란 이 노트와도 이별하려니 서글프기도 하군요. 하지만 이 노트가 당신의 마음을 차지할 걸 생각하니 눈물이 주르륵 내릴 것 같습니다. 이렇게 난필로서 내 마음대로 낙서해온 이 노트를 석이에게 선물해도 괜찮을까요? 싫어하시지는 않을지. 당신을 사랑합니다. 끝까지.

그리고 '여보'하고 빨리 부르고 싶어요.

6부
사랑의 월계관

세상 모든 꽃은 흔들리며 단단한 뿌리를 내린다고한다.
우리도 그러했다.
서로 다름과 오해로 인한 잠시 동안의 갈등, 한 때 그렇게
우리도 그들처럼 위기를 맞았다.
그리고 한 차례 거친 바람이 휘몰고 간 자리엔 더욱
향기 짙은 꽃잎이 깊은 뿌리를 내렸다.

결혼에 대해

보고 싶은 화야.

아버님 제사를 모시기 위하여 부산을 떠난 지 꼭 한 주일 만에 다시 이곳에 왔습니다.

단풍이 곱게 물들고 낙엽이 내려앉던 석남사 산길을 내려 온 지 사십일이 되었나 봅니다. 많은 날 동안 소식 주지 않는 화야의 마음을 이해할 수 있을 것 같습니다.

고향에 가기 전 석열이가 왔더군요. 무엇인가 아주 중요한 일을 오해하고 있나 봅니다. 석이 화야에게 직접 이야기하지 않는 모든 일들은 없었던 것으로 해 두어도 무방하리라 생각됩니다.

아버님 제사는 어머님과 여러 집안 어른들의 정성으로 무난히 끝냈습니다. 이런 것이 바로 망각과 소멸의 한 과정을 보내는 형식이 아니겠습니까. 말하자면 영원히 아버님을 잃었다는 사실이 더욱 실감납니다.

화야! 소식 없었던 그동안 어떻게 지냈는지 퍽 궁금하군요. 물론 어머님과 오빠를 비롯 가족 모두 편안하였으리라 믿고 싶습니다.

아버님 제사가 끝난 후 앞으로의 생활에 대해 여러 가지 이야기가 많았습니다. 그중 가장 급하고 중요한 문제가 석의 결혼 문제이더군요. 꼭 남의 일처럼 실감이 나지 않는데 마음은 반대로 초조하기만 하니 어떻게 해야 할까요? 가까운 날 꼭 화야를 만나고 싶습니다. 이곳으로 와 주기를 바란다면 화야가 허락해 줄지, 꼭 그래 주었으면 합니다. 해야 할 많은 이야기가 있습니다.

석이가 어머님과 의논한 일도 있고 화야에게 들어 보고 싶은 이야기도 여러 가지 있습니다. 될 수 있는 대로 빨리 저를 한 번 만나 주기 바랍니다. 그동안 석에게도 심적인 괴로움이 여러 가지 많았습니다. 어쩌면 심한 자학으로 얼마나 자신을 괴롭혔는지 모릅니다. 사랑하는 화야! 석에게 용기를 주시오. 더 이상 비굴해지지 않도록 힘을 주기 바랍니다. 석에게서 이 어둡고 지루하게 숨 막히는 밤을 걷어주세요. 다른 누구에게도 사랑을 줄 수가 없습니다.

다만 화야 당신만을 사랑할 뿐입니다.

1968. 12. 14 석

어머니의 승낙

사랑하는 화야.

오랜 시간을 두고 벼르던 중요한 어떤 일을 무사히 마친 것 같은 안도감을 느끼게 합니다.

비로소 석이도 어머님의 확실한 대답을 얻을 수 있었으니까요. 추호도 어머님의 감정을 다치지 않고 순조로운 순서대로 승낙을 받았습니다. 다만 이 시간 걱정되는 것은 화야의 어머님이나 오빠께서 어떻게 생각하실지가 염려스럽습니다. 아무튼 너무 무리하지 말고 좋은 대답 받아주길 바랍니다. 언젠가 말했듯이 그곳에서의 모든 문제는 화야가 잘 조정해 주십시오. 뒷일은 석의 모든 것을 바쳐 밀어 드리겠습니다.

화야가 정성 들여 만들어 보낸 크리스마스 카드와 동봉한 글 오늘 잘 받았습니다. 올해의 처음이자 마지막 크리스마스카드였습니다. 다른 몇 백, 몇 천 장의 것과도 비교할 수 없는 귀한 것이라 생각합니다. 그동안 석에게 가졌던 여러 가지 서운함이나 미덥지 못한 것을 깡그리 씻어 버리고 이제부터 새롭고 보람 있는 우리들의 꿈을 키워 봅시다. 석의 어머님이 쾌히 승낙하셨고 석의 가까운 주위 사람들이 찬성하고 또 석이 이렇게 화야를 사랑하는데 무엇을 걱정하십니까?

어머님께서는 음력으로 올해에 결혼식을 할 수 있도록 했으면 좋겠다고 합니다. 다른 여러 가지 화야와 직접 의논해야 할 일들이 많군요. 이 편지 받는 대로 즉시 회신을 주기 바랍니다.

화야가 다행히 시간이 있어 찾아와 준다면 더없이 좋겠지만 어렵다면 석이 울산에 갈 수도 있습니다.

앞으로의 삶의 방향도 화야의 의견을 미리 듣고 계획을 세워 보렵니다.

이삼일 내로 어머님께서 집으로 돌아가실 계획이기에, 고향에 내려가신 뒤에라도 어머니께 소식을 알려드려야 하지 않겠습니까.

우리 둘이 생각하고 바라는 모든 일이 잘 이루어지기를 빌겠습니다. 추운 날씨에 몸조심하길 빌며 안녕.

1968. 12. 27 석

결혼을 앞두고

갑갑하게 가슴을 조이는 무거운 옷을 훌훌 벗어 던지고 얇은 안개가 깔리는 해변으로 나가 보고 싶군요.

저만큼 떨어져서 봄이 손짓을 하나 봅니다. 촉촉이 물기가 도는 그 나뭇가지들에선 봄을 맞아 움트는 새싹들이 가볍게 기지개를 켜고 있겠지요.

화야! 당신은 이 시간 무엇을 하고 있습니까? 시집 갈 준비 하느라고 정신이 없다고요? 그렇겠군요. 너무 무리하지 마세요. 지난번 감기가 아직도 낫지 않아 고생하는지 걱정스럽습니다. 계속 며칠 동안 따뜻한 날이 계속되니 그냥 이대로 봄이 오는 기분이군요. 결혼 날 날씨가 몹시 추우면 어떻게 하겠느냐고 걱정하더니 그날따라 갑자기 추워지는 것은 아닌지 모르겠군요. 신부가 독하면 날씨가 그렇다고 하는데 어떨지? 그동안에도 하나님께 잘 부탁해 보시는 것이 좋을 듯.

또 어둠이 깔리기 시작하는 그런 시간 앞에 하루를 무사히 보냈다는 안도감 같은 것을 느끼며 섰습니다. 어쩌면 퍽 아쉬운 하루이기도 하고 어떻게 생각하면 너무도 지루한 하루이기도 한 것 같습니다. 모든 것이 결정대로 순조롭게 준비가 진행되고 있는 지금, 다만 얼마 남지 않은 시간이 모든 것을 해결해 주리라고 봅니다. 황홀하고 화려한 그날이 신비감까지 동반하고 기다려지는가 하면 한편으로는 불안한 초조감이 가슴을 조이기도 합니다. 출발선에서 자세를 취하고 출발의 신화가 이루어지기를 기다리는 육상선수의 심정 그런 것과도 같은 것이겠지요.

화야! 이제 우리는 함께 먼 길을 떠나려고 하고 있습니다. 어떤 곳에선 예쁜 꽃이 피어 반기고 아름다운 새 소리가 환영하겠고 또 어떤 곳에선 험한 고개와 개천이 앞을 가로 막아서기도 하겠지요. 하지만 우리는 모든 고난을 기꺼이 참고 견디며 가리라 다짐한 사이가 아닙니까. 이제 우리는 둘에서 하나로 합하려 하고 있습니다. 수줍고 두렵기만 했던 한 소녀가 이제 성숙한 한 여인이 되려고 합니다. 모든 가족과 벗 여러 친지 앞에서 면사포 쓰고 말입니다.

한 남성의 아내가 되려고, 한 어머니의 며느리가 되려고, 또 아가의 엄마가 되려고 합니다. 시집이라는 말만 들어도 부끄럽기만 했던 그 소녀가 지금 시집을 간다고 합니다. 엄마와 형제를 떠나서는 살 수 없으리라 생각해 왔던 그 소녀가 이제 정들었던 그곳을 떠나려고 합니다. 길들지 않은 야수처럼 두렵고, 사기한詐欺漢처럼 믿기지 않았던 한 남성을 따라 먼 길을 떠나려 합니다.

하나님, 이 성숙한 한 소년의 길을 인도하소서. 항상 충만한 사랑을 마시며 허기지지 않도록, 어두운 밤길을 밝히는 빛을 내려 주옵소서. 실망하지 않도록, 후회하지 않도록, 서러워하지 않도록 항상 크고 귀한 축복을 내리소서.

사랑하는 나의 화야! 우리는 이제부터 영원히 헤어지지 않고 함께 살아가는 것입니다. 세상의 어떤 부부보다 더 금실 좋게, 세상의 어느 가정보다 재미있게, 세상의 누구보다 멋있게 살아가는 것입니다. 부족한 능력으로 어려운 환경 속에 묻혀 있는 석일 따라 살아가노라면 여러 가지 괴로움과 어려움도 있겠지만 그런 것 모두를 이겨 나가는 것에서 보람을 느끼며 서로 위로하고 또 서로 부축하고 하여 굳세게 살아가는 것입니다.

화야의 오빠와 어머님이 염려하고 걱정하셨던 일들로 석인 또 얼마나 괴로워했는지 모릅니다. 하지만 그것은 석이 자신으로서는 도저히 어찌할 수 없는 하나의 숙명인 것을 어찌하겠습니까? 다만 화야의 고운 마음과 넓은 이해에 힘입어 보다 원만하게, 더 건실하게 처리해 나가리라 다짐합니다. 이제 석인 평온한 마음으로 모든 주어진 일들을 차분히 해결해 보렵니다.

아버님께 고합니다

아버지!

태고의 침묵과 정적을 깨트리는 부름으로 생전 처음으로 아버지를 불러 보는 그런 심정입니다.

아주 먼 옛날 꼭 한 번쯤 불러 본 기억이 있는 것처럼 그렇게 생소한 부름입니다. 아버지, 기뻐해 주십시오. 아니 아버지께서는 먼저 아시고 기뻐하시겠군요. 그 어리기만 하고 철없이 아버지의 애만 태우던 이 아들이 장가를 간답니다. 며느리 될 규수는 울산 방어진에 사는 천씨댁 막내딸인데요, 소자의 마음에 꼭 들었습니다. 아버지께서도 보신다면 아마 소자처럼 마음에 꼭 드실 겁니다. 아버지가 곁에 계신다면 소자의 마음이 좀 더 환하게 밝고 자랑스러울 텐데, 모든 것을 어머님과 상의해가면서 그런대로 무난히 준비 중입니다.

어머님이 고생이군요. 이번 저의 결혼일만 해도 어머님 혼자서 어떻게 해야 좋을지 몰라 어린 동생들 틈에서 이리저리 쫓아다니며 애를 쓰시는 것을 볼 때 소자의 마음 찢어 지는듯 하옵니다.

고향에서 누구와 제대로 상의를 할 사람도 없고 해서 이곳 부산에 오셔서 큰 외숙과 숙모, 그리고 이모님과 같이 모든 일을 상의하고 또 준비 하셨습니다. 아버지, 아버지가 계시지 않은 한 해 동안에 어머님은 몰라보게 많이 늙으셨습니다. 어머님을 마주 대하기가 민망스러울 정도로 말입니다. 아버지, 이 기쁜 소식을 아버지께 드리면서 소자도 울고 있습니다. 영전에서 울지 못했던 그 눈물을 지금 흘리고 있는 것입니다.

아버지, 소자가 사랑하는 그리고 소자를 사랑해 주는 그 며느리를 보고 싶지 않으십니까? 오는 27일 처녀 집에서 결혼식을 합니다. 왜 아버지께서 상객으로 오시지 못하십니까? 소자가 이만큼 자라서 장가를 가는데 아버지가 못 보시면 되겠습니까? 처녀 집에서 3일 지내고 30일에 고향으로 갑니다. 그땐 이 소자가 며느리를 데리고 아버님을 찾아뵙겠습니다. 그러면 나이 스물두 살인 신부가 부족하고 잘 모르는 것이 있더라도 아버님이 이해하시고 모든 것을 잘 돌봐 주십시오. 소자는 조금도 아버지를 원망하거나 탓하지 않겠습니다. 현재 처한 모든 환경과 현실을 그대로 감수하고 아버님이 생전에 못 다한 일들을 힘자라는 데까지 다해 보겠사오니 모든 일에 아버님의 도움이 있기를 빌겠습니다.

그동안 소자의 결혼 준비 관계로 한 주일쯤 이곳에 와 계시던 어머님도 오늘 고향으로 돌아가셨습니다. 아들이 장가를 가는 것도 보지 못하시고 말입니다. 소자의 욕심으로나 어머님의 마음 같아서도 꼭 며칠 남지 않은 동안 어머님과 함께 지내다가 어머님이 보시는 가운데 장가를 가고 싶었지만 그렇게 오랫동안 집을 비워두기도 어려워 하향하신 것입니다. 이렇게 소자 혼자 조용히 지내다가 가렵니다.

축복을 빌어 주소서!

찬바람이 스산하게 불던 이른 봄부터 서서히 자라온 우리 둘의 사랑이 이제 또 그 봄의 문전에서 결실을 맺으려 합니다. 지나간 그 한 해 동안 우리는 모든 사랑의 의미를 마음으로 느꼈고, 꼭 이루어져야 할 사랑이라는 것도 알았습니다. 그간 이어온 우리의 사랑의 역사를 앞으로 더 길게 펴나가려 하는 것입니다. 푸른 지평선 너머로 봄이 찾아옵니다.

배꽃이 피고 지기를 반복하며 이제부터는 마음을 졸이지 않아도 좋을 때가 온 것입니다. 지나가는 배달부 아저씨를 보고 두근대는 가슴을 안아야 했던 그런 기다림이 없어도 좋을 때가 왔습니다.

긴 밤의 허전함도, 풀벌레 울음 속의 서러움 같은 것도, 낙엽이 안겨다 주는 그런 슬픔이 없어도 좋을 때가 온 것입니다. 정들었던 소라 언덕과도, 파도가 밀려드는 그 모래밭과 이별을 해도 슬프지 않을 때가 바로 눈앞에 찾아온 것입니다.

처음 하늘이 열리는 태초의 밝음 그대로 빛을 내리소서. 태고의 정적 그대로의 성스러움을 내리옵소서. 모든 찬가가 땅으로 번져 흐르게 하옵고 모든 축복이 눈처럼 내리게 하소서.

여기, 위대한 당신의 섭리를 따르기로 작정한 두 사람이 다정하게 나란히 섰습니다. 다만, 오늘 이 시간을 위해 지금까지 당신이 인도하는 길을 착하게 살아왔으며 또 그렇게 살아가기를 원하는 어진 양입니다. 항상 커다란 당신의 은혜 속에서 서로 의지하고 서로 축복하며 이제 나란히 먼 길을 떠나려 하옵니다. 당신의 뜻을 거역하지 않고 당신의 길에서 벗어나지 않도록 좁고 험난한 당신의 길목마다 등불을 밝혀 주옵소서. 영원히 당신의 은혜에 감사드리며 서로 사랑하며 착하게 밝게 살아가도록 하옵소서.

새로운 태양

태양이여! 더 밝은 빛을 지상에 뿌리소서.

바다는 고요히 심호흡하고 세상의 모든 꽃은 활짝 피어라.

아름다운 새들은 입을 모아 노래하고 어지럽게 춤을 추어도 좋다. 내 비록 짧은 연륜 속에 자라온 하잘것없는 한 생명이지만 적어도 오늘 하루는 모든 축복을 다 받으리라. 사랑하는 벗들의 박수 속에서 제왕 같은 자세로 축배를 들어도 나를 탓하지 말아다오. 다만, 나는 축복을 마실 뿐이고 그래서 가장 숭고하고 가장 멋있는 사랑을 이루어 가리라.

사랑하는 나의 벗아! 나도 나의 세계를 품은 한 가슴을 안았노라. 이 어찌 즐거운 마음으로 축배를 들지 않으랴. 나는 비로소 내 마음과 몸이 함께 영원히 쉴 수 있는 안식처를 찾았노라. 타는 듯 갈증을 적셔줄 맑은 생명수가 있고 불타는 정열을 승화시켜줄 아름다운 동산이 있으며 한 톨 씨앗을 뿌리고 수확할 수 있는 내 기름진 땅이 있노라. 길고 어두운 밤의 동반자가 있고 베갯머리의 꿈을 함께 영글게 할 수 있는 반려자가 있노라.

나는 이제 방황하지 않고, 이제 가난하지 않고, 나는 이제 서럽지 않은 나의 세계가 있노라. 누구도 어떠한 권력도 감히 침해할 수 없는 불가침의 성이 있노라. 이제 나는 영원히 죽지 않는 생명수를 마시리라. 좀 더 웅장하고 멋있는 축가를 불러 다오. 오늘 지고 있는 저 태양은 이제 다시는 뜨지 않을 것이다. 아니 또다시 떠올라서는 안된다. 내일 아침 솟아오를 태양은 지금 지고 있는 저 태양이어서도 안된다. 새로운 태양이 새롭게 떠오를 것이다. 더욱 찬란하게, 더 멋있게 새로운 태양이 떠오르리라.

사랑의 월계관

결혼은 앞두고 사랑하는 나의 화야.

언제부터인지, 도대체 누구 때부터인지는 알 수 없지만, 인간은 혼자 살아갈 수 없는 것으로 길들여져 왔나 봅니다.

아니, 어제 오늘 그렇게 온 것이 아니고 아주 맨 처음 천지 창조신이 인간을 만들었을 때부터 혼자 살 수 없게 된 것이겠지요. 어차피 혼자가 아닌 또 하나의 짝을 찾고 또 결합하여 살아가야만 한다는 그 자연의 위대한 섭리에 순응한다고 봐도 좋겠고 또 다른 어떤 이유를 들어도 무방하겠지요. 다만 자신이 아닌 다른 하나의 반신과 짝을 맺게 된다는 게 이만큼 곤란하고 어려운 주위의 갖가지 방해물에 저지 혹은 지연당해야만 한다는 엄연한 사실을 이제까지 외면하고 무관심하게 느껴왔다는 것이 이처럼 당황하고 주저하게 하나 봅니다.

역시 인간은 홀로 고립되어 살 수 없다는 교훈을 굳힌 것 같습니다. 결혼할 것을 결정하고 보니 거기에 따르는 문제들이 또 다른 모양으로 석의 마음을 괴롭게 하는군요. 당시의 큰오빠와 작은오빠가 석일 만나자고 할 때부터 석인 웬일인지 판사 앞에 선 죄수의 심정처럼 초라함을 삼켜야만 했습니다. 석이 화야의 사랑을 좀 더 정확히 판단할 수 있었다면, 아니 당신이 좀 더 용기를 갖고 석일 사랑해 주었다면 그것을 믿고 그만큼 초라해지지는 않아도 좋았을 것입니다. 얼마나 신중하게 결정을 고려하시고 판단을 미루시는지 두 오빠 앞에서 석인 모든 자존심을 내동댕이쳤습니다. 어쩌면 석의 그때 모습이 몹시 비굴하게 보였을지도 모르겠습니다.

석의 주위 사람들이 없었기 다행이지 그때 석일 보았더라면 무엇이라고 했을지, 자신이 생각해봐도 어떻게 그럴 수 있을까 의아해지니까요. 석이 그렇게 해서 화야의 마음이 즐거워진다면 다시 또 되풀이할 수 있을까? 이것은 처음부터 어느 하나만의 승리도 패배도 아닌 이해를 초월한 문제였습니다. 꼭 그 승부를 판가름 짓자고 한다면 그것은 다름이 아닌 화야 당신과 석의 승리라고 말하겠습니다. 이해를 떠난 대결, 목적을 승화시킨 승부, 그 전선에서 우리 서로의 사랑으로 잘도 참고 견디며 승리자의 월계관을 나란히 쓸 수 있게 된 것입니다. 우리들의 결혼이 쌍방에서 모두 합의를 보았고 앞으로 남은 관습에 의한 순서에 따르기만 하면 우리는 세상 사람들과 같이 삶의 질서 속에서 이탈하지 않고 떳떳이 함께 살아갈 수 있는 것입니다. 그동안 화야 당신이 겪어야 했던 많은 고통과 어려움도 모두 짐작할 수 있으며 우리 둘이 그 꿈이 영글도록 하는데 얼마나 노력을 해야 한다는 것도 잘 알고 있습니다. 가끔 화야의 마음을 괴롭힌 것은, 어쩌면 어린 아기들의 투정 같은 그런 것이었을 것입니다.

사랑하는 화야! 오늘 화야의 몫으로 보잘것없는 몇 가지를 두 친구 편에 보냈습니다. 꼭 석이 같이 가고 싶었습니다만 어쩐지 용기가 나지 않아 일부러 회사에서 철야 근무를 하기로 하고 친구들이 짐을 가지고 떠난 후 출근했습니다. 석이 복이 없는 만큼 화야도 복이 없었나 봅니다. 아버님이 계셨다면 좀 더 화야의 마음에 드는 여러 가지를 보낼 수 있었을 것이고 석이 졸라서라도 더 많은 것을 줄 수 있었을 것인데, 받고 나서 섭섭했겠군요. 하지만 석이로서는 현재 어쩔 도리가 없습니다. 가난한 석의 아내가 되려고 마음먹은 화야이기에 모든 것을 이해할 수 있으리라 믿고 싶습니다. 사람이 살아가는데는 그보다 더 절실히 그리고 간절한 요소들이 더 많은 것 아니겠습니까? 석이 쥐여 주는 조약돌 하나가 천금보다 귀하다는 그런 마음으로 기꺼이 받아 주기 바랍니다.

초초한 마음

비가 내립니다. 낮게 깔린 안개, 그 위로 촉촉이 비가 내리고 있습니다. 오늘이 1월 25일, 이제 내일 모레면 우리 둘이 결혼식을 하는 날입니다.

그토록 길고 지루한 나날이 흐르는 듯 여겨졌었는데 막상 이렇게 코앞에 다가서고 보니 다시 또 마음이 초조해짐을 느끼게 되는군요. 그날 준비 관계로 당신은 가족들과 함께 무척 분주하겠지요. 아직도 감기가 완쾌하지 않았다는데 너무 무리하지 마십시오. 석인 당신이 염려해주는 덕분에 아무 탈 없이 건강합니다. 야간 근무도 오늘 밤에만 출근하면 내일 아침에 퇴근해서 끝나는 것입니다. 어머님이 고향으로 가시면서 특별히 숙모님께 부탁을 드렸기에 때마다 숙모님 집에 가서 꼭꼭 식사도 하고 있습니다.

잠도 충분히 자고 있으며 조용히 마음을 정리하기도 한답니다. 내일 오후면 고향에서 우리의 결혼식에 참석할 상객 손님들이 도착하겠지요. 제발 27일은 날씨가 좋아야 할 텐데.

멀리있는 당신생각에

사랑하는 나의 아내 화야!

오늘이 2월 12일, 그러니까 우리 둘의 결혼식을 치른지 벌써 보름이나 지났소.

그리고 당신과 떨어져서 생활한 지도 어언 한 주일이 되었소.

여보! 어머님을 모시고 동생들과 당신 혼자 지내는 동안 얼마나 고생이 많으오. 부디 모든 고난을 참고 앞으로 며칠만 더 기다려 주오. 이곳에 있는 나도 하루하루가 얼마나 지루한지 모르겠소. 당신을 혼자 두고 떠나온 후 한 시도 당신을 생각하지 않고는 지난 적이 없소. 환하게 웃어주는 당신이 보고 싶소. 당신의 체온을 느끼지 못하는 밤이 왜 이토록 쓸쓸하기만 한지 정말 예전엔 미처 느끼지 못했던 고독감이오. 여보, 당신의 집엘 나 혼자 다녀왔소. 마음은 더 더욱 쓸쓸했었소. 어머님을 모시고 방어진에까지 다녀오기도 했고, 오빠의 영접도 눈물겹도록 고마웠소. 당신과 같이 갔었더라면 얼마나 즐거운 길이 되었겠소. 부디 짧은 기간이나마 아무 탈 없이 지내주기를 바라겠소.

설은 시집살이

여보.

하얗게 이어진 눈길을 달려 이렇게 먼 거리를 사이에 두고 당신의 체온을 더듬는 나의 손이 이만큼 싸늘하게 시려 드는 것은 갑자기 추워진 날씨 때문만은 아니겠지요.

시골 역 구내에서 흔들어주던 당신의 손길이 차창 밖으로 멀어지면서 시야엔 온통 하얀 축복이 덮여 있었습니다. 선잠을 깨는 서슬에 부서진 꿈을 안은 것처럼 아스라이 실감이 나지 않는 그런 기분입니다.

여보. 모든 것이 설어 고생스럽지요?

더욱이 나도 없는 집에서 얼마나 곤란하겠소. 하지만 이것도 우리 생활 일부이기에 외면하고 돌아설 수 없는 하나의 질서라고 생각하고 모든 것을 참고 견뎌주기를 바라겠소. 어머님이 바라는 그런 며느리가 되도록 노력해 주오.

복잡한 차 안에서 다행히 쉽게 자리를 잡을 수 있어 편히 이곳까지 왔소. 오후 다섯 시 십 분쯤 도착했고 저녁 식사는 숙모님 집에서 잘 했소. 내일 아침부터 다시 일상으로 복귀하여 출근하려 하오. 날씨가 갑자기 추워졌는데 당신 감기에라도 걸리지 않도록 조심하오. 그럼 오늘은 이만 줄이오. 내내 안녕

1969. 2. 5 밤 11시
당신을 사랑하는 남편으로부터

백년손님

사랑하는 아내 화야에게

여보! 지금 나는 술에 취했나 봅니다.

울산까지 와서 마지막 마신 그 맥주 몇 잔에 이렇듯 견디기 어렵도록 취했습니다.

당신의 오빠와 같이 마신 술이니까 이해해 주기 바라겠소. 어제 일요일 오후 세 시에 퇴근해서 그 길로 당신 집에 갔었소. 모두 반갑게 맞아 주어 마음 흐뭇했었소. 당신과 같이 갔더라면 좀 더 즐거운 걸음이 될 수 있었을 텐데 어머님과 오빠의 기분보다도 내가 섭섭하였소. 오늘 저녁까지 자고 내일 아침 내려가라고 붙잡으시는 어머님과 처남댁의 권고를 뿌리치고 조금 전 부산에 도착했소. 내일의 근무에 지장이 없게 하려는 노력이니 그 점도 이해해 주구려.

여보, 얼마나 고생이 많으오. 그동안 몸이라도 불편하지 않은지 궁금하고 그곳의 가족 모두가 편안하기를 바라겠소. 당신의 전송을 받으며 떠난 온 지가 이제 겨우 닷새밖에 안되는데 왜 이렇게 오랜 세월처럼 느껴지오? 오늘 밤은 더더욱 당신이 보고 싶구려.

당신의 체온을 느끼지 못하는 밤이 예전엔 미처 느끼지 못했던 심한 고독감을 밀려들게하는구려. 내 마음이 이러할 때 당신의 마음이야 오죽 하겠소. 하지만 이것 또한 세상을 살아가는 하나의 방법 같은 것 아니겠소.

잘하면 설 연휴에 갈 수 있을 것이오. 방어진 당신의 집엔 아무 탈 없이 모두 안녕 하시니 걱정하지 마오. 여보, 어서 빨리 당신을 보고 싶소. 짧은 기간 동안 이나마 그곳 어머님 마음 즐거우시도록 당신이 잘해 주기 바라오. 취기가 심해지는 것 같소. 밤 열한시가 되었는데 동생 두현이와 같이 극장 구경 갔다는 성숙이 처남도 아직 돌아오지 않는구려. 성숙인 사관 후보 응시 관계로 요즈음 부산에 내려와 있소. 엊그제 신체검사를 했다는데 내일이면 결과를 알 수 있을 것이오. 하고 싶은 이야기가 너무 많아 어쩔 줄 모르겠지만 너무 피곤해서 그만 자리에 들어야겠소. 당신도 좋은 꿈꾸기 바라오.

안녕

1969. 2. 10. 밤 11시 30분

당신의 남편 석으로부터

그리운 아내

사랑하는 아내 화야에게.

당신의 다정한 편지를 받은 이 밤도 더더욱 못견디게 그리워지오.

어쩌면 우리 둘이 결혼을 했다는 그 엄청난 현실까지도 아스라이 꿈속에 있었던 일처럼 도무지 실감이 나지 않는 그런 허전함이오. 여보, 짧은 기간이나마 어머님과 동생들 그리고 큰 어머님과 형님 내외분도 안녕하시며 고모님도 별고 없으신지 일일이 따로 편지를 드리지 못하는 점 사과드리고 나를 대신하여 당신이 안부를 전해 주기를 바라오.

이곳 나는 아무 탈 없이 건강한 몸으로 충실히 근무하고 있으니 안심하기 바라오. 동생 두현이가 꼬박꼬박 식사 준비도 해 주어 때를 거르지 않고 잘 먹고 있소. 변화된 환경 속에서 모든 일에 마음이 너무 쓰이겠지만 무리하지 마오. 코피가 터지고 했다니 얼마나 심신이 피로했겠소. 피곤할 때는 어머님께 말씀드리고 쉬도록 하오. 그리고 먹히지 않더라도 식사 잘하고 충분히 수면도 취하기를 바라오. 무리하다가 병이라도 나면 어쩌겠소. 당신 스스로 당신의 건강을 염려하고 조심하는 게 나를 위하는 길이고 나아가서는 부모님께 효도하는 길이기도 할 것이오.

오늘은 비가 내렸소. 당신은 무엇을 하며 지냈는지 무척 궁금하오. 빗속으로 나가면 당신의 모습이 떠오르려나 하고 나가 보았더니 바닷가엔 안개만 자욱하게 깔려 있었소. 당신은 영원한 나의 愛人이요. 세상의 어떠한 시샘과 어떠한 장애물도 우리의 사랑을 흐려놓지는 못할 것이오. 동생들이 당신을 좋아라 따르니 무척 다행한 일이요. 혹시 귀찮게 굴고 말썽을 부려 괴롭히더라도 꾹 참고 밝게 대해 주기 바라오. 어차피 함께 살아야 할 형제들이 아니겠소. 철없는 동생들이라 여러 가지로 당신을 괴롭게 하겠지요.

여보, 이 밤을 또 나는 어떻게 보내야할지 모르겠소. 머리와 가슴 가득히 온통 당신 생각뿐이요. 하지만 간절한 그 바람을 외면한 채 살아야만 하는 현실이 한없는 슬픔으로 다가온다오. 당신의 친우 이영생양께 보내는 편지는 이곳에 도착한 이튿날 써서 보냈소. 당신의 벗들께 만나는 대로 소식 전해 달라고 부탁드렸소.

여보, 당신이 혼자 지내는 그동안 부디 나의 고향에 대한 그리고 집과 어머니 형제 친족들에 대하여 좋은 감정이 채워지도록 간절히 바라겠소.

우리 둘이 한 평생 같이 살아가면서 결코 외면할 수 없는 상대들이오. 설연휴에 집에 가는 일정은 아마도 그믐날쯤 도착할 예정으로 생각하고 있지만 아직도 확실한 결정이 나질 않았소. 만약 사정이 여의치 못하면 설을 쇠고 이삼일 뒤에 가게 될 것이오. 당신이 무척 보고 싶소. 부디 만나는 날까지 아무 탈 없이 지내기를 바라오. 안녕

1969. 2. 13. 밤

당신을 사랑하는 남편으로부터

첫 생일

화야!

우리 이제 도시의 시끄러움과 그 숨막히는 탁한 대기를 벗어나 조용히 살아 봅시다.

어쩌면 먹어야 하고 입어야 하는 일상적인 삶의 방식에서부터 도피하여 다만 하늘을 우러러보고 바다를 굽어보며 사랑만으로 채워가며 그렇게 다정하게 살아 봅시다.

바로 머리맡 귓가에 튕기는 소란한 수돗물 소리가 잠을 채 깨우기도 전인 이른 새벽부터 서둘러 밥을 지어야 하고 또 열두 시간을 넘는 기나긴 시간을 기다림 속에 보내야 하는 그런 번거로움에서 벗어나 밀리는 파도 소리를 자장가 삼고 흐르는 시냇물 소리를 꿈길에 동반하여 잠이 들고 따스한 아침 햇살이 가만히 볼을 쓰다듬어 깨워 줄 때 일어나도 좋은 그런 곳으로 갑시다.

화야! 당신 앞에서 나는 또 한 번 자신의 무능력에 발등을 찍고 싶을 만큼의 큰 울분을 느낍니다.

무엇하나 당신의 마음을 흡족히 해 줄 수 없는 자신의 무능력이 때론 터무니없는 짜증과 고집으로 오히려 당신을 더 괴롭게 만들고 있다는걸 잘 알고 있소.

우리 둘이 결혼하여 처음 맞이하는 당신의 생일날에도 조그마한 선물 하나 주지 못했으니 못난 나의 이 마음을 어떻게 변명해야 좋은지, 그저 아무런 말도 하지 않겠소.

내가 이렇게 자꾸만 약해지는 것은 무엇 때문인지, 생활에 대한 의욕이 왜 이토록 희박해지는 것인지 무서운 생각이 드는구려.

1969. 3. 10 사랑하는 당신의 남편

내일은 오늘보다 행복하게

여보, 미안하오.

내가 당신에게 할 수 있는 말이 어쩌면 이 한 마디뿐 인지도 모르겠소. 모든 것이 좋지 못한 조건에서 당신이 얼마나 괴로워하고 또 고생 하는가를 짐작하지 못할 만큼 그렇게 바보가 되어 버렸나보오. 그만한 일에 이렇게 불같이 화를 내고 토라지는가 하고 나의 작은 그릇됨을 탓하겠지만 최근의 내 심리 상태를 알 수 있다면 이해할 수 있을 것이오. 어쩌면 자신의 마음속에 축적된 불만과 모든 울화가 죄 없는 당신에게로 폭발해 버렸나 보오.

어제는 회사에서도 온종일 아무 일도 하지 않았소. 하고 싶지도 않았을 뿐더러 도저히 불안해서 할 수가 없었소. 꼭 무슨 사고가 날 것만 같은 불길한 예감에 아무것도 하지 않고 세심하게 주의를 했었소. 무엇이라고 꼭 꼬집어 화를 냈어야 할 이유가 없소. 오로지 당신에게 미안하다는 생각 때문에 그렇지 않아도 당신의 눈치를 살펴야 할 만큼 예민해져 있는 나의 신경을 건드렸기에 그저 투정처럼 그리 마음이 토라졌나 보오.

언젠가 내가 당신에게 주었던 글에서도 한 번 이야기 했지만, 나의 집착력이 그 어떤 감정도 당해내지 못할 만큼 강한 것이었나 보오. 당신은 왜 나의 마음이 다른 데로 달리고 있다고 생각하는지 그 이유를 모르겠소. 적어도 그런 문제에 대해서는 조금도 가책을 느끼지 않고 떳떳하오. 물론 당신도 장난삼아 한 말이었지만 다시는 듣고 싶지 않았소. 여보, 나는 지금 '포르마린' 냄새가 눈을 따갑게 하고 자욱한 나무 먼지 때문에 숨도 조심해서 쉬어야 할 정도로 탁한 공기의 장내에서 요란한 기계 소리를 들으며 불편한 자세로 이 글을 쓰고 있소. 오후 일곱 시가 꼭 애인과 만나기로 한 시간처럼 기다려지는 나의 마음도 약간은 알아주오.

정시에 퇴근하지 못했을 때는 약속 시간을 어겨 기다리다 돌아갔을 애인을 생각하는 것처럼 미안하기 짝이 없소. 누구보다 더 욕심도 있고 남이 알고 있는 것보다 더 아는 것도 많을 뿐더러 그 누구보다 더 알뜰히 사랑할 수 있는 능력도 있소. 다만, 새살림을 시작하면서부터 너무나 빨리 부과되어버린 악조건들이 나의 그런 생각과 능력들을 외면해 버렸을 뿐이오.

나는 아침 일찍 출근하여 저녁 늦게 들어가니까 어쩔 수 없지만 온종일 집에서 지내야 하는 당신에게 내가 너무나 무능한 존재가 되고 마는 것 같아 서러울 뿐이오. 당신과 나란히 밤거리도 걸어 보고 싶고, 또 당신과 함께 다방에 들러 음악도 듣고 영화도 보고, 여러 가지 맛있는 것도 만들어 먹고, 필요한 여러 가지도 사들이고 떳떳이 친구들이나 친지들도 초대하여 대접하고, 왜 그런 것을 모르겠소, 그냥 모르는 체하고 있을 따름이오. 종일 같이 지내고 또 밤늦게까지 마주 앉아 바라보고 이야기하고 애수하고 해도 한없이 부족할 것이라고 생각하오.

여보, 왜 이처럼 자꾸 서러운 생각이 드는지 모르겠소. 현재 나는 당신이 생각하는 식의 다른 생각에 젖을 여유가 없소. 당신 하나 생각도 채 못해서 안타까운 심정인데 어찌 당신 아닌 다른 사람을 염두에나 두겠소. 제발 그런 오해 일랑 풀어주오. 생활이 외롭고 어렵더라도 참아주오. 나의 능력이 닿는대로 힘껏 노력할 테니, 그러면서 우리의 참된 행복을 찾아봅시다.

오늘도 당신, 종일 우울했겠소. 하고 싶은 이야기가 너무 많은 것 같소. 아무튼 나의 이 글을 읽고 그동안 당신이 받았던 모든 마음의 괴로움일랑 다 잊어 주기 바라오. 내일은 지금보다 좀 더 행복하게 웃으며 살아 봅시다. 제발 내가 용기를 잃지 않도록 격려하고 밀어주오. 나는 단 하나 당신을 사랑하며 당신의 사랑을 받으며 뜻을 굽히지 않고 살아가겠소. 시간이 너무 지나서 이제 밖으로 나가 보아야겠소. 남은 많은 이야기들은 기회 있는 대로 다시 하겠소.

1969. 3. 18

오해

여보 미안하오.

당신에게 지금 내가 할 수 있는 말은 이 말이 전부인것 같으오.

구차하게 내가 요즈음 보인 전에 없는 행동에 대해 어떤 이유와 변명도 하고 싶지 않구려. 그러나 당신을 만나 서로 사랑하고 아이들을 낳아 키우며 나름대로는 열심히 살고 있다는 점에 대해서는 예나 지금이나 앞으로도 추호의 변함이 없을 것이라고 분명히 말 할 수 있소.

때로는 하잘것없는 일에 철없는 아이 같은 불만과 투정으로 당신의 마음을 아프고 당혹하게도 했지만, 그런 일들로 해서 우리들의 깊고 큰 사랑에 흠을 내고 싶지는 않았소.

나 자신의 불만과 울화를 술과 방황의 시간으로 보낸 것이 당신을 얼마나 괴롭게 했겠는가도 충분히 짐작하오, 허약하고 졸렬한 해소 방법이었다고 반성도 하오. 감당하기 어려운 그 괴로움을 풀어 주리라 다짐하면서도 이야기를 하다 보면 마음과는 전혀 다른 억지로 오히려 당신의 마음을 더 괴롭혀 주고 마는 것은 나의 고치기 어려운 나쁜 습관인가 하오. 당신은 나에게 당신 마음을 너무 몰라주는 것 같다고 하지만 당신도 나의 이런 나쁜 습성을 여러 번 겪어 보아 지금쯤은 알고 있을 텐데, 나와의 대화에서 꼭 그런 식의 억지가 나와야 하는지 딱하고 안타깝구려.

배신감과 불쾌감에 미운 생각뿐인 지금 무슨 이야기가 들리겠소마는, 내가 그렇게 나쁜 사람은 아니라고 믿어주오. 터무니없이 비약하는 오해와 상상으로 필요 이상의 고통과 미움을 갖는 것은 서로를 위해 조금도 득이 되지 않는다는 것을 알고 참아 주구려. 주위의 시선 때문에 우리 둘의 자존심에 작은 상처라도 난다면 그것은 더욱더 견디기 어려운 괴로움일 테니까, 물론 당신이 쉽게 믿으려 하진 않겠지만, 더 이상의 방황은 하지 않겠다는 나의 말을 믿고 빨리 정상을 찾아주기를 바라오.

일일이 다 말할 수 없는 회사 생활 속의 속상함, 울화 등 정말 정신을 잃도록 술이라도 마시고 싶을 때도 있을 것이라 접어 생각해 주오. 남자들이 밖에서 어울려 술을 마시다 보면 더러는 집에서 기다리고 있다는 사실도 잊은 채 늦어지는 수도 있을 거라고 쉽게 생각해 주오. 술 마신 뒤 입가심으로 들린 다방 같은 데서 싱겁게 노닥거리다가 늦어지는 수도 있을 거라고 믿어주오. 그러나 확실한 것은 이런 것들이 나를 차지하고 있는 당신의 확고한 위치와 무게에는 조금의 변화도 줄 수 없다는 사실도 함께 생각하고 믿어주기를 바라오. 밖에 나가 놀다 흙투성이 되고, 무릎 깨져 해진 뒤 들어온 개구쟁이 아이 맞아 씻기고 옷 갈아입혀 다독이는 그런 큰 모성애로 당신의 너그러움을 보여주면 좋겠소. 더는 이런 일로 우리의 사이의 간격을 넓히지 맙시다. 여보, 미안하오. 이제 그만 화를 푸시오.

1988. 10. 16

언제까지나 화야를 사랑하는 석으로부터.

성숙한 중년 부부로

바람 한 점 없이 고요한 바닷가, 하지만 이따금 한 방울씩 내리던 비를 맞으면서도 당신과 함께 있어 오히려 포근하게 느껴지는 밤이었나 보오.

태연한 척하려는 표정은 아랑곳없이 속으로 치미는 속상함을 토해내듯, 그렇게 호수같이 잔잔한 바다에서도 해변의 모래밭을 오르내리는 조심스러운 물결이었나 보오. 언젠가 당신에게 우리 나이 정도의 부부 사이라는 것은 함께 있으면 있는 둥 마는 둥 없으면 아쉽고 불편하다고 느끼는 정도라고 말한 것으로 기억하는데 이것은 다른 모든 부부들도 공감하는 것으로 알고 있소.

잘못 들으면 세상을 어느 정도 함께 살아왔다는 성숙한 부부 사이를 너무 과소평가 하는 것 같아 섭섭하게도 생각되겠지만, 가만히 생각해 보면 이 표현만큼 적절하고 간결한 것도 없을 것 같소. 아무 말썽 없이 무난하게 지내온 중년 부부의 모습이 그런 것이니까. 처녀 총각으로 처음 만나 연애라도 할 때는 그저 먼 곳에서 생각만 해도 즐겁고 행복하고 신혼 시절 꿈같은 그때는 세상에 아무도 없이 단둘이 있어도 부족한 것 없을 만큼 황홀한 행복감에 취할 수 있었으나, 세월이 가고 아이들이 생기고, 주위의 여러 환경적 제약과 간섭, 그리고 살아야한다는 어려운 현실의 절실함 때문에 자신도 모르게 그때의 그 애틋한 감정들이 서서히 무디어지는 것 아니겠소.

집에서 혼자 기다리고 있을 당신을 생각하고 퇴근 시간 초조하게 기다려 총총히 돌아가던 그 시절엔 당신도 저녁밥 지어두고 나를 기다리던 시간이 행복이었고 눈 비비며 새벽같이 일어나 도시락 챙겨두고 단잠 깨워 측은한 마음으로 배웅하던 그때는 또 그것이 행복이라 생각하고, 냄새 나는 양말 짝, 땀 젖은 속옷까지 비누 발라 손빨래하던 그때는 그것이 행복하다고 느꼈을 것이오. 어떠한 어려움과 고통, 그리고 서러움도 서로의 몸으로 사랑을 확인하는 따뜻한 애무로서 씻은 듯 말끔히 사라지던 그때는 그것이 사랑의 전부라고 믿었을 것이오. 하지만 세월은 우리들의 이런 꿈같은 행복과 사랑을 그대로 놓아두지를 않았구려.

어떻게든 내가 차지하고 묶어두지 않으면 어디론가 날아가 버릴 것만 같았던 연애 시절의 초조한 쟁취욕의 행복은 결혼이라는 과정을 거치면서 사라지고, 둘만의 오붓하고 뜨거웠던 열정의 행복은 하나, 둘, 셋, 예쁜 우리 딸들이 태어나면서 잃어버린 것 아니겠소. 현실은 다만 사랑만 먹고도 행복하다고 느끼며 살 수 있다고 생각한 우리에게 세상은 잔인하게도 다른 많은 것을 요구하고 있소. 당신만을 위해 쏟아야 할 정열과 시간을 일과 사회 생활에 빼앗기기도 하고, 당신도 나의 출근길 배웅보다는 그 시간에 부족한 잠을 조금 더 자야 하는 것이 엄연한 현실인 것을 사랑이 식어서 그렇다고 누가 함부로 말할 수 있겠소? 그래서 깡그리 행복을 잃었다고 누가 또 말할 수 있겠소? 우리 너무 큰 욕심 부리지 맙시다. 지금까지 살아온 것처럼 부부로서 함께 살며 착한 우리 딸들 잘 자라 주는 것을 큰 행복으로 알고 만족 합시다. 누가 뭐래도 당신은 나의 사랑하는 아내이고 나는 당신의 사랑 속에서 살아야 할 남편이라는 것을 의심치 맙시다.

1988. 10. 17 당신의 석.

한나절 꿈

꿈을 꾸었다고 생각합시다.

평소에 가끔 깜짝 놀라 몸을 뒤척이던 때처럼 그런 악몽을 꾸었다고 생각합시다. 당신과 나 사이에 달라진 것은 하나도 없다고 믿습니다.

세상의 어느 무엇도 우리들의 사이에 틈을 내지는 못한다고 굳게 믿읍시다. 틈을 내려는 어떠한 세상 밖에서 날아든 걸림돌에도 의연하고 자신있게 맞설 수 있도록 더욱 더 깊고 성숙한 사랑을 키워나갑시다. 나의 모든 아픔과 괴로움, 작은 투정과 방황까지도 넓게 끌어안아 달래 줄 따뜻한 당신의 품이 있기에 초라하고 비굴하지 않은 삶을 살아갈 수 있다고 믿고 있소. 가끔은 휘청거리고 무너질 것 같아 불안하게도 보이겠지만 당신 한사람쯤 얼마든지 기대고 매달려도 안전하게 지탱할 수 있는 남편이라고 믿어주시오.

어떻게 보면 조금은 사치스러운 듯한, 작은 감정들에 우리가 지금껏 살아오며 쌓아온 그 모든 것과 희망 가득한 우리의 미래를 통째로 걸고 도박이라도 하려는 듯한 그런 터무니없는 발상일랑은 아예 하지도 맙시다. 주위의 타인들이 호기심이나 시기 같은 감정으로 보는 시선들은 무시하면서 말이오. 우리는 그들이 보아온 다른 부부와는 비교할 수도 없는 특별한 사랑으로 뭉쳐진 부부라고 자부하고 위축되지 맙시다. 나로 인해 더 작아지는 당신을 보고 싶지 않으니, 하루빨리 그 활발함과 자신감에 넘친 모습을 다시 보여주시오.

그것이 죄책감에 괴로운 나의 마음을 조금은 달래 준다고 생각하니 말이오.

1988. 10. 19

흔들리며 피는 꽃

당신의 마음을 안정시키려는 나의 이 노력을 무색하게 하지 마시오. 나 스스로 정상을 찾으려는 이 노력을 포기하게 하지 말기를 바라오. 모든 것이 내 탓이긴 하지만 인내에도 한계가 있다는 것을 명심하여 막다른 골목으로 몰아붙이지 말았으면 하오. 이성을 잃지 않고, 상식적인 선에서 마무리하겠다는 나의 진심이 엉뚱하게 오기나 자학으로 비틀어지지 않게 하여 주오. 이번 기회에 예리하고 날카로운 당신의 감정과 성질도 조금은 무디어졌으면 좋겠소. 넘어지고 쓰러지고, 홍역을 치르며 우리 아이들이 자라왔듯이 우리 둘의 사랑도 그렇게 여물어 간다고, 전화위복의 계기로 삼읍시다.

어젯밤에도 당신은 두 번씩이나 소스라치게 소리를 지르며 꿈을 깨는 것 같았소. 더듬어 잡은 당신의 손엔 촉촉히 땀에 젖어 나의 손바닥까지 흥건히 적셨다오. 무슨 몹쓸 꿈이 당신의 편안해야 할 잠자리를 그토록 괴롭히는지 안타깝고 측은하오. 가누지도 못하는 몸을 억지로 일으켜 차를 타러 나가는 당신의 뒷모습을 보는 것이 그렇게 마음 아플 수 없었소. 아무 탈 없이 일 잘 보고 돌아와 주기를 빌겠소. 밝고 가벼운 마음은 아니더라도 차창으로 스쳐 지나가는 이 가을의 모든 것, 줄지어 늘어선 코스모스, 산허리에 무리 진 들국화, 들녘마다 풍성한 볏가리들, 경산 부근 과수원에 주렁주렁 매달린 빨간 사과들, 눈을 들어 조금 더 먼 곳을 바라보면 푸른빛을 잃어가는 산마다 빨갛고 노란 단풍이 보이겠지요. 그런 것들이 당신의 마음을 조금이나마 위로해 주었으면 하오. 그래서 오늘 밤은 편하고 깊이 잠들게 해주기를 바라오.

1988. 10. 20 당신의 석.

자랑스러운 당신

여보! 지금 시각은 새벽 3시. 또 잠이 오지 않아 당신 잘 다녀오시라고 기도하고 이렇게 오랜만에 편지를 써 봅니다.

생각해 보니, 우리가 만난 지도 까마득히 오래된 일이 되어버렸군요. 35년, 숱한 일들도 많이 겪었고, 참으로 다사다난했던 시간이었습니다. 꿈같은 처녀 시절, 당신과 가슴 떨리는 편지도 참 많이 주고받았었는데.

결혼을 하고 아이 셋 낳아 키우면서 공부시키고, 출가에 손주까지 보고 이제는 당신이 정년퇴직까지 하고나니 지금껏 살아오는 동안 나는 당신에게 단 한 번도 예쁘고 사랑스러운 아내가 되지 못했던 것 같아 참으로 미안하고 부끄럽습니다. 그래도 우리의 분신인 딸 셋을 낳아 저리 어여쁘게 키워냈으니 얼마나 자랑스러운지요. 저는 오직 처음이나 지금이나 당신을 믿고 의지하는 그 마음 하나로 살아왔답니다. 이제 더 이상 다른 바램은 없습니다. 당신이 내 곁에 있어 주는 것만으로 언제나 든든하고 자랑스러워요. 그리고 늘 당신의 기대에 미치지 못해 미안할 뿐이랍니다. 일일이 말하지 못하는 제 마음을 이해하시죠?

30년 직장생활 하느라 정말 고생 많이 하셨어요. 이제 편히 쉬며 충실한 신앙생활과 나눔을 위해 아낌없는 사랑 베풀기를 바랍니다.

그동안 당신의 무거웠던 짐을 이제부터는 제가 조금이나마 나누어 질수 있어 참 마음이 편합니다.

여보, 우리 아이들 곁에서 오래 오래 건강하게 함께해요.

사랑합니다.

2002. 8. 15.

울뜨레아 교육연수를 떠나는 당신에게

아내가.

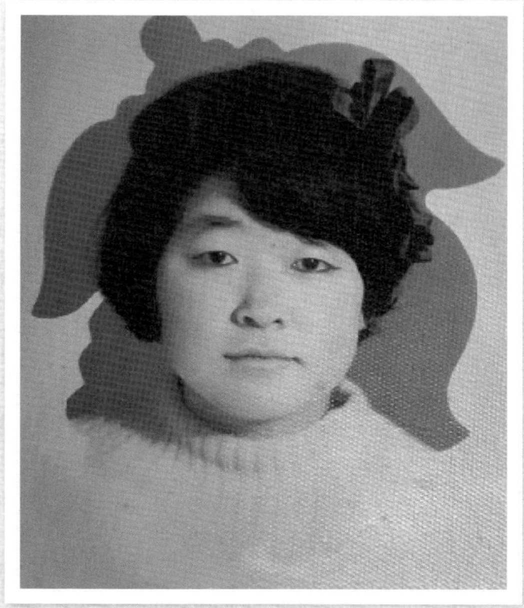

편지와 함께 처음 주고받은 서로의 사진

1969년 1월 27일 결혼식

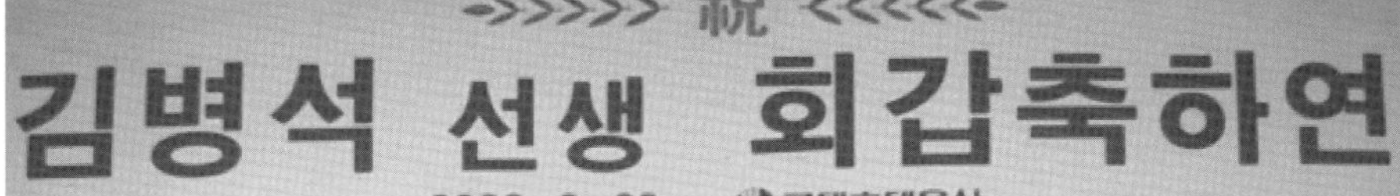

남편의 회갑축하연

자녀들과 함께

남편과 함께 찍은 마지막 사진

에필로그

남편이 타계하고 2010년부터 울산 한사랑실버합창단(울산광역시 노인복지관 소속) 단장을 맡아 11년째 소임을 다하고 있다. 우연한 기회에 거제에서 연주 대회에 유일한 실버합창단으로 출전, 많은 이들의 주목을 받기 시작했으며 몇 년 전에는 KBS TV 프로그램 '남자의 자격'에 출연하여 비록 입상은 놓쳤으나 좋은 평가를 받은 것이 계기가 되어 차츰 활동의 범위가 넓어져가고 있다.

60세가 넘는 실버세대로 구성된 합창단은 그 열정과 자부심이 타의 추종을 불허하며 나이는 그야말로 숫자에 불과하다는 것을 증명해 보이고 있다. 2019년에는 연해주 주립대학 초청으로 개최된 블라디보스토크 연해주 합창단 대회(Singing Ocean)에서 뜻하지 않은 수상을 하여 큰 기쁨과 자긍심을 얻기도 했고, 다양한 출연 요청으로 가곡과 가요, 민요, 뮤지컬 등 다양한 장르의 음악을 섭렵하고 있다. 그야말로 보람이자 삶의 기쁨이기에 내게 시간이 주어지는 날까지 최선을 다해 소임을 다하고자 한다.

2019년 블라디보스토크 연해주 합창단 대회 은상 수상

KBS TV 프로그램 '남자의 자격' 출연(울산 한사랑실버합창단)

발문

맑은 심성과 순정이 넘치는 글

이충호(소설가, 전 울산예총 회장)

역사적으로 볼 때 편지는 문학의 중요한 형태 중에 하나였다. 오늘날에 와서도 그 의미가 별로 달라진 것이 없다고 본다. 다만 통신수단의 발달로 손쉬운 것에 의존하고 있을 뿐 그 의미 자체가 퇴색된 것은 아니다.

동서양을 막론하고 편지글은 문학의 고전적인 한 양식으로 이해되고 있고, 그것이 문학사적으로 차지하고 있는 위치 또한 가볍지 않다. 그 중에서도 괴테의 서한문은 유명하다. 괴테는 평생 2만여 통의 편지를 썼다고 한다. 그 중에 1만5천여 통이 남아 있어서, 그의 문학과 삶을 이해하는 데 중요한 자료가 되고 있다.

조선 시대 한글로 씌인 편지글인 내간문학은 우리 문학의 큰 뿌리의 하나로 소중한 문화자산이다. 사림의 대가들 치고 뛰어난 서한문을 남기지 않은 사람은 드물다. 특히 당시의 정치적 이해관계로 절해고도나 궁벽한 산간오지에 유배되었던 선비들이 남긴 서한문은 유명하다. 다산 정약용은 유배지에서 많은 편지글을 남겼다. 그의 형제와 아들, 제자들에게 많은 편지를 써서 사람이 살아가야 할 길과 언행에 대해서 가르치고 자신의 뜻을 전했는데, 그 글들은 문장의 뛰어남뿐만 아니라 철학적으로도 깊이 있는 것들이 많다.

고 김병석 선생님과 천이화 선생이 주고받은 편지 글은 내용의 깊이나 절절함, 그리고 격식적인 면에서 보기 드물 정도로 훌륭한 것들이다. 뿐만 아니라 한 시대를 대변할 정도로 그 시대의 정서와 사회적 배경, 사람들이 살아가는 방식과 생각들이 잘 나타나 있다. 한 자 한 자 매우 진지하고 성실하게 써내려간 글에서 두 분의 삶의 흔적이 읽을 수 있다.

천이화 선생이 사촌 오빠의 소개로 알게 된 김 선생님과 시작된 편지 교환은 결혼을 하고 신혼에 이르기까지 집중적으로 이루어지고 있다. 68년 3월에 시작되는 편지는 69년 1월에 결혼하기까지 가장 많은 양이 오고 갔고 결혼 이후에도 좋은 글들을 많이 남겼다. 처음 시작되는 편지에서부터 그 후 몇 십 년에 이르기까지의 많은 편지들은 하나같이 그 내용이 진지하고 사랑의 마음이 넘쳐난다. 글의 표현도 자연스럽고 문장이 서정적이면서도 사실적인 것들이 대부분이다. 글이 한 줄 한 줄 매우 성실하게 씌었다는 것을 느낄 수 있다. 한 줄의 글에서조차 생각과 표현이 진지하고 말의 정직함이 느껴지는 것들이 대부분인 것은 글을 쓴 분의 마음이 그대로 담겨 있기 때문일 것이다.

청춘 남녀가 주고받는 글은 상대에게 잘 보이고 싶거나 상대방의 마음을 얻기 위해서 상황을 미화하거나 미사여구가 넘치는 글이 되기 쉽다. 표현에서도 감정 노출이 심하기 마련이다. 그러나 두 분의 글은 그와 다르다. 감정이 절제되고 차분하다. 감성적이면서도 이성적이다. 말의 사용도 정제되고 격조가 있다. 거기엔 문학적 소양과 수련이 바탕이 된 것으로 보인다.

어느 한 구절에서도 흐트러짐이 없이 자신의 마음과 주변의 이야기를 전하는 내용들이 진솔하게 느껴지고, 성찰과 사색이 묻어나는 것을 엿볼 수 있다. 빛나는 정신의 편린들이라 하지 않을 수 없다. 성찰과 사색은 삶을 깊이 있게 하는 원천이다. 흔히 젊은 시절엔 패기와 힘에 넘쳐서 자칫 사색이 깊지 못한 경우가 많다고 하는데, 두 분의 글에서 사색의 깊이가 느껴지는 것은 그 만큼 타고난 성품과 인격이 고매하기 때문인 걸로 여겨진다.

대부분의 문장이 잘 다듬어져 있어서 수필 문으로 보아도 손색이 없을 정도다. 편지글이나 일기문도 좋은 수필이 될 수 있다는 것을, 두 분의 글을 보면 실감하게 된다. 글이 과장되거나 공허하지 않다는 것도 문학적 면모를 보여주는 부분이다. 부모를 공경하는 마음과 동생을 생각하는 마음, 직장과 현실적인 문제에 접근하는 방식도 매우 차분하고 생각이 깊다. 윤리나 교양적인 측면에서도 가식적이거나 형식적인 것이 아니라 실질적이며, 바른 마음에 그 바탕을 두고 있다는 점도 장점이라 할 수 있다,

한 가정의 장남으로서 홀로 된 어머니에 대한 효심이나 동생을 대한 배려와 보살핌도 글 속에 잘 드러나 있다. 그 시대의 보편적인 가정의 모습뿐만 아니라 형제간의 우애를 중시하고 있는 점들도 글의 깊이를 더해 주고 있다. 고운 심성과 성실한 삶의 자세를 느낄 수 있게 해 주는 대목들이다. 천생연분의 표본처럼 두 분의 마음이 어느 한 쪽에 더하고 덜한 것이 아니라, 마치 한 마음을 나누어 가진 것처럼 느껴지는 내용들이 많다는 것에서도 부창부수하는 한 시대의 아름다

운 삶의 모습을 엿볼 수 있다.

두 분의 글에서 서로를 사랑하는 마음이 매우 진지하면서도 열렬하게 느껴지는 것이 많다. 사랑의 의미와 한 시대 사랑의 풍속도를 잘 전달해 주는 글이라 할 수 있다. 다시 말하면 두 분의 글은 한 시대의 사랑의 전형을 보는 것처럼 매우 지순하다는 것이다. 서로를 위하고 사랑하는 마음이 글의 행간마다에 매우 진하게 배어 있어서 순애보적인 마음의 편린들을 보여주고 있는 것 같은 느낌이 든다. 마치 순정소설의 주인공들처럼 그 사랑이 매우 순수하고 아름답게 느껴지며, 한 시대의 지순한 사랑의 전형을 보여주는 것 같기도 하다.

전화가 일반화되기 전인 70년대 후반까지만 해도 대부분의 사람들은 편지로 소식과 의사를 전하곤 하는 것이 일반적이었다. 두 분의 글에서 그 당시의 시대적 상황을 엿볼 수 있다는 것도 큰 의미가 있다고 할 수 있다. 조선소가 들어서기 전의 미포만 일대의 과수원에 흐드러진 배꽃과 거기에서 일하는 처녀의 모습이 담겨 있는 편지글은 한 시대에 지워진 흔적들을 다시 보여 주는 글과 같으며, 한 시대를 기억하는 소중한 자료와 같다.

사랑하는 연인을 만나고 와서 그를 향하는 마음이 절절하던 밤과 아침을 맞는 그 순간들의 생각을 기록한 글들도 즐거운 사색과 희망으로 영글어 매우 서정적이면서도 깊이 있는 글들이다. 고백적이며 호소력이 있다.

두 연인이 손을 잡고 거니는 밤의 방파제의 풍경과 연인의 속삭임이 파도에 실려서 들려오는 듯한 표현은 매우 생생하다. 송림과 바다, 나무 한 그루와 꽃 한 송이를 바라보는 눈도 그윽하다. 자연을 사색하고 그 위에 사랑하는 사람의 모습을, 자신의 사랑을 배합해 가는 글은 풋풋한 사랑의 향기와 시들지 않는 꽃처럼 아름답게 느껴진다.

방어진에서 광양까지 그 당시로선 머나먼 길이었던 그 공간을 이어주는 끈은 깊은 사랑, 마음의 언약 없이는 불가능한 일이었을 것이다. 그 사랑과 언약이 하나가 되고 서로를 사랑하고 아끼는 헌신으로 이어진 것으로 믿어진다.

사랑하는 사람이 있는 방어진 바다와 송림을 떠올리며 쓴 일기체의 글들과 그 훗날 쓴 몇 편의 편지글들도 하나같이 사랑하는 마음과 사색이 어우러진 글들로 수필문에 버금가는 것이라 할 수 있다. 간간이 섞인 시들도 표현과 의미가 깊은 것들이 많다.

사람에게 사랑만큼 중요한 것은 없고, 사랑의 감정만큼 순수한 것은 없다. 사랑은 모든 것의 출발점이자 귀결점이라 할 수 있다. 사랑을 키워가는 마음은 기도하는 마음과 다르지 않을 것이다. 사랑을 키워가던 아름다운 시절이 있었다는 것은 삶에서 축복이다. 세월은 흘러갔지만 그 추억은 기억 속에서 시들지 않을 것이다. 봄이면 다시 피어나는 꽃처럼 삶과 함께 할 것이다. 두 분의 글에서 그것을 느낄 수 있다.

마치 잘 접어서 간직해 두었던 한 시대의 정서와 사진첩을 복원해 내듯 전해주듯 생생한 글에서 그 시대의 정서와 사회적 풍영을 읽을 수 있다는 것도 글의 소중함을 더해 준다.

참 사랑은 영원할 것이다. 진실로 엮어진 두 분의 글들은 세월이 지나도 지지 않은 별처럼 아름답게 빛나게 될 것이다.

천이화 부부서한집

이화연가

梨花戀歌

인 쇄 일 2021년 9월 30일
발 행 일 2021년 10월 5일

발 행 인 천이화
지 은 이 천이화, [김병석]
기획·편집 백시향

펴 낸 곳 바니디자인(주)
44703 울산광역시 남구 번영로 152
전 화 (052)276-6687
이 메 일 bunny6687@hanmail.net
출판등록 제2015-000016호

ISBN 979-11-91474-01-5

15,000원
한정판